Gdyby połączyć liniami prostymi najdalej wysunięte krańce naszego kontynentu, to przecięcie tych linii znalazłoby się blisko centrum Polski. Polska dzięki różnorodności krajobrazu, powikłanej historii i swojemu położeniu w sercu Europy jest krajem pięknym i godnym poznania. Pokażemy tu Polskę – kraj na skrzyżowaniu dróg.

Should anyone try to join the four points of the European continent extended furthest to the East, to the West, to the North and to the South with straight lines, the lines would intersect near the heart of Poland. Owing to landscape diversity, convoluted paths of history and its location in the heart of Europe, Poland is an attractive country, worthy of in-depth exploration. In this work we aim to present Poland, as it is – a country on the crossroads.

Wenn man in gerader Linie die am weitesten nach Norden, Süden, Osten und Westen vorgeschobenen Punkte unseres Kontinents miteinander verbände, würden sich diese Linien nahezu in der Mitte Polens schneiden. Auf Grund seiner abwechslungsreichen Landschaft, der stürmischen Geschichte und seiner Lage im Herzen Europas ist Polen ein Land, dass man unbedingt besuchen sollte. Wir präentieren Ihnen Polen an der Wegkreuzung Europas.

Malownicza POLSKA

Picturesque POLAND

Malerisches POLEN

Malownicza POLSKA

Picturesque POLAND

Malerisches POLEN

zdjęcia / photography / Fotos Christian Parma
tekst / text / Text Maciej Krupa

Wydawnictwo PARMA® PRESS

POLSKA — KRAJ NA SKRZYŻOWANIU DRÓG

Na poszczególne państwa – także na swoje własne – spojrzeć można rozmaicie. Popularne i wydawałoby się obiektywne jest spojrzenie geografa i statystyka. Można wówczas napisać, że Polska to kraj o powierzchni ponad 312 tysięcy km², jeden z większych w Europie. Że mieszka tu nieco ponad 38 milionów osób; w miastach niespełna 24 mln. a na wsi nieco ponad 14 mln. Że na 100 mężczyzn przypada 106 kobiet; że 10% Polaków ma wykształcenie wyższe a 33% średnie. Można dodać, że Polska ma dostęp do morza, graniczy z siedmioma państwami, jest podzielona na 16 województw i blisko dwa i pół tysiąca gmin. Że Polską rządzi Sejm, kontroluje go Senat, a głową państwa jest prezydent, jest zatem Rzeczpospolita Polska krajem demokracji parlamentarnej. Można przytaczać liczby i inne dane, kreślić mapy, dołączyć wykresy. Ale można też inaczej...

Bo Polska to także wschód słońca obserwowany z nadmorskiej plaży, zapach lasu po deszczu, kiedy słońce nisko nad horyzontem z trudem przebija się promieniami przez korony drzew, to Wawel dumnie wznoszący się ponad zakolem Wisły, wyniosłe, ośnieżone Tatry widziane gdzieś z Turbacza czy Babiej Góry. To także rozlewiska i leniwe meandry Biebrzy, ciemna nawa krakowskiej bazyliki franciszkanów rozświetlona witrażami Wyspiańskiego, potężne dęby i żubry Białowieży, zaułki Kazimierza nad Wisłą i spieniony nurt Dunajca przebijającego się przez Pieniny. Krakowski Rynek i warszawska Starówka, drewniane cerkiewki w Beskidzie Niskim i dawne synagogi na krakowskim Kazimierzu, wiersze Zbigniewa Herberta i księdza Baki, muzyka Henryka Mikołaja Góreckiego i Bartusia Obrochty, wielkie płótna Jana Matejki i oniryczne obrazy Witkacego, ołtarz Wita Stwosza i Madonna z Krużlowej, kościółek w Dębnie i bazylika w Licheniu. Wielość w różnorodności.

Polska literatura przez wieki funkcjonowała na obrzeżu wielkich literatur: francuskiej, niemieckiej, anglosaskiej czy rosyjskiej. Szczególne znaczenie w polskiej tradycji literackiej ma poezja, proza nigdy nie osiągnęła tego stopnia uniwersalizmu i żadna z polskich powieści nie trafiła do europejskiego kanonu. Czterech Polaków zostało laureatami literackiej Nagrody Nobla – Henryk Sienkiewicz (1905), Władysław Reymont (1924), Czesław Miłosz (1980) i Wisława Szymborska (1996). Wizjonerem wyprzedzającym własną epokę był Stanisław Ignacy Witkiewicz „Witkacy", autor powieści i dramatów wystawianych na całym świecie. Oryginalnym i cenionym na świecie twórcą był Witold Gombrowicz. Ale współczesna literatura polska opiera się przede wszystkim na poezji, z najjaśniejszymi gwiazdami Miłosza, Szymborskiej, Zbigniewa Herberta i Tadeusza Różewicza.

Najwybitniejszym dziełem polskiego gotyku jest ołtarz Wita Stwosza w Kościele Mariackim w Krakowie. Jednak polski gotyk i renesans to przede wszystkim dzieła architektury. Barok odcisnął największe piętno na polskiej architekturze historycznej, szczególnie sakralnej. Obrazy Canaletta pokazują świetność 18-wiecznej Warszawy, Marcello Baciarelli i Piotr Norblin poprzez tematykę historyczną i obyczajową dają początek polskiej sztuce narodowej. 19. wiek to rozkwit polskiego malarstwa z dziełami Piotra Michałowskiego, Wojciecha Gersona, braci Gierymskich i przede wszystkim Jana Matejki. Przełom 19. i 20. stulecia to okres Młodej Polski ze Stanisławem Wyspiańskim, Józefem Mehofferem, Leonem Wyczółkowskim i Jackiem Malczewskim. To czas powstania stylu zakopiańskiego w architekturze i zdobnictwie stworzonego przez Stanisława Witkiewicza. Wśród artystów aktywnych w okresie międzywojennym wymienić należy Tadeusza Makowskiego, Zbigniewa Pronaszkę, grupę działających w Paryżu kapistów oraz jako zjawisko osobne – S. I. Witkiewicza „Witkacego", syna Stanisława, twórcy stylu zakopiańskiego. Wśród artystów drugiej połowy ubiegłego stulecia wyróżnić trzeba przede wszystkim Tadeusza Brzozowskiego i Władysława Hasiora. Obecnie najbardziej cenioną na świecie polską artystką jest Magdalena Abakanowicz.

Jedynym powszechnie znanym na świecie polskim kompozytorem jest twórca romantyczny Fryderyk Chopin. Coraz bardziej popularna i ceniona na świecie jest twórczość Karola Szymanowskiego. Wśród kompozytorów współczesnych szeroko znana i doceniana jest muzyka Henryka Mikołaja Góreckiego, twórcy m.in. popularnej Trzeciej Symfonii. Ponadto na światowych scenach wykonywane są dzieła Witolda Lutosławskiego i Krzysztofa Pendereckiego. Światową sławę – przede wszystkim dzięki swej muzyce filmowej – zyskali Wojciech Kilar i Zbigniew Preisner. Od lat z powodzeniem koncertuje na największych scenach świata pianista Krystian Zimmerman. Tomasz Stańko uważany jest za jednego z najlepszych jazzowych trębaczy na świecie, uznaniem cieszy się także muzyka nieżyjącego pianisty i kompozytora Krzysztofa Komedy.

Najbardziej znanym polskim twórcą filmowym jest tworzący od wielu lat za granicą Roman Polański, reżyser „Noża w wodzie", „Chinatown", „Tess", zdobywca Złotej Palmy w Cannes za „Pianistę". Jedynym polskim reżyserem, który zdobył Oscara za całokształt twórczości jest Andrzej Wajda, czołowy twórca tzw. „szkoły polskiej". Światowym uznaniem cieszą się filmy Krzysztofa Kieślowskiego. Wybitnymi i docenianymi twórcami filmów dokumentalnych są Marcel Łoziński i Andrzej Fidyk.

Dwa najbardziej znane na świecie nazwiska związane z polskim teatrem to Tadeusz Kantor, twórca krakowskiego teatru Cricot 2 oraz Jerzy Grotowski, założyciel i animator wrocławskiego Teatru Laboratorium. Wymienić tu można także Konrada Swinarskiego związanego ze Starym Teatrem i jego niezapomnianą inscenizację „Dziadów" Adama Mickiewicza. Wśród twórców współczesnych najbardziej rozsławiają Polskę w świecie teatry nurtu alternatywnego, przede wszystkim Gardzienice Włodzimierza Staniewskiego i Teatr Ósmego Dnia z Poznania.

Gdyby połączyć liniami prostymi najdalej na północ, południe, wschód i zachód wysunięte krańce naszego kontynentu, to przecięcie tych linii znalazłoby się blisko centrum Polski. Bowiem od wieków leży Polska na skrzyżowaniu europejskich dróg. Dla Rosjan była i jest przedsionkiem Zachodu, dla Francuzów i Niemców zwiastunem niepokojącego Wschodu. Przez lata uznawana za przedmurze zachodniego chrześcijaństwa, a będąca jednocześnie oazą religijnej tolerancji. Przez jej tereny przetaczały się liczne wojny, w tym dwa największe światowe konflikty. W 16. stuleciu była jednym z najpotężniejszych państw Europy, a tragiczne okoliczności dwa wieki później starły ją z mapy kontynentu na długie 123 lata. Po krótkiej stabilności okresu międzywojennego, tragedii okupacji hitlerowskiej i sowieckiego zniewolenia, od 1989 roku na powrót cieszy się wolnością i demokracją, przystępując do politycznych i gospodarczych struktur zjednoczonej Europy.

W Polsce krzyżowały się przez stulecia wpływy Rzymu i Bizancjum, tu budowano bazyliki i cerkwie, a kultura żydowska rozkwitała i owocowała wiekopomnymi dziełami. Tu w średniowieczu zasadzano miasta na prawie niemieckim, a pochodząca z Italii królowa Bona zaszczepiła włoski renesans. Tu urodzili się, tworzyli i działali Mikołaj Kopernik i Maria Skłodowska-Curie oraz laureat pokojowej Nagrody Nobla Lech Wałęsa. Stąd pochodzi tak mocno kształtujący oblicze współczesnego świata papież Jan Paweł II.

Polacy są stosunkowo mało mobilni, niewiele podróżują, a jeżeli już, to często lepiej znają zabytki Rzymu i greckie plaże niż urokliwe zakątki własnego kraju. Pozwólmy sobie na ten banał – Polska to ciekawy, piękny, malowniczy kraj. Mamy mniej zabytków i kościołów niż Włosi, mniej zamków niż Francuzi, mniej gór niż Szwajcarzy, mniej plaż niż Grecy. Ale Polska dzięki różnorodności krajobrazu, powikłanej historii i swojemu położeniu w sercu Europy jest krajem pięknym i godnym poznania. Pokażemy tu Polskę – kraj na skrzyżowaniu dróg.

← Malbork. Fragment rzeźbiarskiej dekoracji przedstawiającej Panny Nieroztropne w portalu Złotej Bramy na Zamku Wysokim.
The Malbork Castle. Piece of sculptured ornaments of the Golden Gate portal (High Castle) depicting the Imprudent Maidens.
Malbork/Marienburg. Das Fragment der bildhauerischen Dekoration am Goldenen Tor der Hochburg stellt die "Unbedachtsamen Jungfrauen" dar.

POLAND – A COUNTRY ON THE CROSSROADS

Any country – including your own native-land – can be viewed from various perspectives. An assessment performed by a geographer or a statistics specialist would seem most common and objective. Such an interpretation typically depicts Poland as a country covering an area of 312 thousand sq. km, one of the biggest European states. A home to over 38 million citizens, of whom 24 million are city-dwellers and just over 14 million chose to settle in rural areas. A country, where for each 100 males there lives 106 females; where 10% of the citizens have graduated from universities and around 33% completed their secondary education. One might also add that Poland enjoys unrestricted access to the sea, that it borders with 7 countries, its territory is divided into 16 provinces and over 2500 communes. That the Seym, being supervised by the Senate, governs the state, and that the President acts as head of state – consequently the Republic of Poland exemplifies a parliamentary democracy. A myriad of figures and data may be quoted at this point, we could sketch maps and enclose charts. Still, it doesn't have to be that way...

For Poland is also a sunrise admired from the seashore; the aroma of forest after rainfall when the sun hanging low over the horizon struggles to pierce down through the branches; it is the Wawel castle gloriously towering over the curve of Vistula river; and the magnificent snow-capped Tatra Mountains observed from the peaks of Turbacz or Babia Góra. Poland is languid windings and overflows of the Biebrza river, Cracow's Franciscan basilica's dim interior lit up by stained-glass windows designed by Wyspiański, mighty oaks and European bison of Białowieża, narrow alleys of Kazimierz-upon-Vistula and the white waters of Dunajec fighting its way across the Pieniny Mountains. Cracow's Main Market Square and the Old Town of Warsaw; minuscule wooden Orthodox churches in Beskid Niski and the synagogues of the past surviving in the Cracow's district of Kazimierz; poetry of Zbigniew Herbert and Father Baka, music by Henryk Mikołaj Górecki and Bartuś Obrochta, grand canvasses by Jan Matejko and dream-like paintings by Witkacy; Veit Stoss's altar and Our Lady of Krużlowa, little church in Dębno and the basilica in Licheń. Multitude in diversity.

For centuries Polish literature stood on the fringes of the grand literatures: the French, the German, the English and the Russian. In the Polish literary tradition it is poetry that enjoys greatest significance; prose has never achieved such level of universality, nor has any Polish novel ever joined the club of European classics. Four Poles so far have been awarded a Nobel Prize for literature – Henryk Sienkiewicz (1905), Władysław Reymont (1924), Czesław Miłosz (1980) and Wisława Szymborska (1996). Stanisław Ignacy Witkiewicz "Witkacy", the author of novels and plays staged world-wide, was a visionary ahead of his time. Similarly, Witold Gombrowicz was a truly original and universally appreciated writer. But it is poetry that the Polish contemporary literature rests upon, with Miłosz, Szymborska, Zbigniew Herbert and Tadeusz Różewicz being its brightest stars in the firmament.

Veit Stoss's altar in St. Mary's Church in Cracow remains the most outstanding achievement of Polish Gothic tradition. Nonetheless, the Polish Gothic and Renaissance manifest themselves predominantly via masterpieces of architecture. Historical architecture, sacral for the most part, proves to be inspired chiefly by Baroque influences. Canaletto's paintings praise the glory of the 18th century Warsaw, Marcello Baciarelli and Piotr Norblin with their inclination for historical and social themes in graphic arts laid foundations for the Polish national art. The 19th century witnessed a flourish of Polish painting, marked by the works of Piotr Michałowski, Wojciech Gerson, the Gierymscy brothers and, to greatest extent, Jan Matejko. At the turn of the 20th century the period of Młoda Polska (Young Poland) prevailed on the Polish artistic arena featuring Stanisław Wyspiański, Józef Mehoffer, Leon Wyczółkowski and Jacek Malczewski. That is when the "zakopiański" style in architecture and design came into being, introduced by its creator – Stanisław Witkiewicz. Among the artists actively operating in the inter-war period the names of Tadeusz Makowski and Zbigniew Pronaszko deserve particular attention, as well as a Paris-seated team of painters representing the Capists school, and a marvel on his own rights – S. I. Witkiewicz "Witkacy", son of Stanisław, the originator of "zakopiański" style. In the second half of the 20th century Tadeusz Brzozowski and Władysław Hasior seemed of foremost significance for Polish art. Currently it is Magdalena Abakanowicz who enjoys greatest esteem among art connoisseurs worldwide.

Frederic Chopin continues to be the sole representative of Polish romantic composition with a household name in all corners of the world. The works of Karol Szymanowski, however, seem to be gaining in popularity as well. The circle of contemporary composers, whose music enjoys international appreciation, embraces Henryk Mikołaj Górecki, the author of the popular Third Symphony. The compositions by Witold Lutosławski and Krzysztof Penderecki have also reached international concert halls. Music connoisseurs all over the world are well acquainted with artistic achievements of Wojciech Kilar and Zbigniew Preisner – mainly due to their involvement in composing sound-track music. For many years the pianist Krystian Zimmerman, has enjoyed warm reception by international audience in the finest concert halls of the world. Tomasz Stańko is perceived to be one of the greatest jazz trumpeters of all time and the works of the late pianist and composer Krzysztof Komeda are invariably recognised and cherished.

Greatest international repute among Polish film makers is ascribed to Roman Polański, for many years working abroad, the director of "Nóż w wodzie" ("A Knife in the Water"), "Chinatown", "Tess", and the laureate of Palm d'Ore of the Cannes Film Festival for "The Pianist". The only Polish director ever to have been awarded an honorary Oscar for lifetime achievements is Andrzej Wajda, the prominent representative of a so-called "Polish School" in filmmaking. Movies by Krzysztof Kieślowski are also appreciated world-wide, similarly documentaries by Marcel Łoziński and Andrzej Fidyk.

The two names of Polish theatrical personalities popular abroad are Tadeusz Kantor, the founder of Cricot 2 Theatre in Cracow, and Jerzy Grotowski – originator and animator of the Wrocław Laboratorium Theatre. Konrad Swinarski of Teatr Stary (the Old Theatre) in Cracow and his unforgettable staging of "Dziady" by Adam Mickiewicz definitely deserve mentioning at this point. Currently, the name of Poland is extolled abroad due to the activity of alternative theatres, among them Gardzienice established by Włodzimierz Staniewski and Teatr Ósmego Dnia (The Theatre of the Eighth Day) from Poznań.

Should anyone try to join the four points of the European continent extended furthest to the East, to the West, to the North and to the South with straight lines, the lines would intersect at the heart of Poland. For Poland has been located on the crossroads of Europe centuries long. To the Russians our country used to be, and still remains to be perceived as the vestibule of the West, for France and Germany it is a presage of the distressing East. For centuries it was a bulwark of Western Christianity and concurrently the asylum of religious tolerance. Polish territory has survived innumerable armed conflicts, including the two World Wars. In the 16th century the Polish kingdom was a European power, two centuries later as a result of tragic entanglements it was erased from the map of Europe for the lengthy 123 years. A short period of stability in the inter-war period was followed by the catastrophes of Nazi occupation and the Soviet domination. Freedom and democracy resumed in 1989. Poland regained access to political and economical structures of the united Europe.

For centuries, Roman and Byzantine influences overlapped in Poland. It is here that basilicas and Orthodox churches were erected, Jewish culture flourished and bore fruit of everlasting value. Cities were seated in compliance with German law, and Queen Bona, of Italian descent, laid foundations to Polish Renaissance. This is where Copernicus, Marie Skłodowska-Curie and the Nobel Peace Prize laureate Lech Wałęsa were born and active. And finally, this is where Pope John Paul II was born, whose impact upon the image of the contemporary world it is impossible to overestimate.

Poles are relatively immobile; they do not travel extensively and if so – they tend to be better acquainted with the monuments of Rome and the seashores of Greece than the enchanting nooks of their native land. Let's take the liberty to pronounce the most banal statement – Poland is an exciting, wonderful and picturesque country. We may not have as many monuments and churches as the Italians, as many castles as the French, mountains as the Swiss or beaches as the Greeks do, but owing to landscape diversity, convoluted paths of history and its location in the heart of Europe, Poland is an attractive country, worthy of in-depth exploration. In this work we aim to present Poland as it is – a country on the crossroads.

POLEN, EIN LAND AN DER WEGKREUZUNG EUROPAS

Jedes Land, egal ob das eigene oder das fremde, lässt sich aus verschiedenen Blickwinkeln betrachten. Der Geograf oder Statistiker würde sagen, dass Polen über 312 000 km² misst und somit zu den größten Staaten Europas gehört. Dass dort etwas über 38 Mio. Menschen leben, genauer gesagt fast 24 Mio. in den Städten und über 14 Mio. auf dem Lande. Dass auf 100 Männer 106 Frauen entfallen, 10% Polen Hochschulabschluss besitzen und 33% die mittlere Reife. Man könnte hinzufügen, dass Polen Zugang zum Meer hat, an sieben Staaten grenzt, in 16 Woiwodschaften und in nahezu zweieinhalb Tausend Gemeinden gegliedert ist. Dass in Polen der Sejm (höchste Volksvertretung) regiert, der wiederum vom Senat kontrolliert wird, dass der Präident das polnische Staatsoberhaupt und Polen eine parlamentarische Demokratie ist. Das alles könnte man noch durch kalte Zahlen und andere nichts sagende Angaben belegen sowie Landkarten und Diagramme vorzeigen. Man kann aber auch vollkommen anders...

Denn Polen ist auch der romantische Sonnenaufgang am Ostseestrand, der Duft des Waldes nach dem Regen, wenn sich die Sonnenstrahlen mühevoll durch die Baumkronen kämpfen. Das ist das Wawelschloss, das stolz über den Weichselbogen thront und auch die mächtige Tatra vom Berg Turbacz oder dem Bergrücken Babia Góra aus gesehen. Aber zum Bild Polens gehören auch das Schwemmgebiet und die behäbigen Mäander der Biebrza, das finstere Kirchenschiff der Krakauer Franziskanerbasilika, das von den Glasfenstern des namhaften polnischen Künstlers, Stanisław Wyspiański, erleuchtet wird, die mächtigen Eichen und die Wisente im Białowieski-Nationalpark, die idyllischen Winkel in Kazimierz Dolny an der Weichsel und der schäumende Fluss Dunajec, der sich wütend durch das Pieniny-Gebirge kämpft. Hinzukommen der Krakauer Marktplatz, die Warschauer Altstadt, die russisch-orthodoxen Holzkirchen in den Niederbeskiden und die alten Synagogen im Krakauer Stadtviertel Kazimierz, die Gedichte von Zbigniew Herbert und Pfarrer Baka, die Musik von Henryk Mikołaj Górecki und Bartuś Obrochta, die monumentalen Gemälde von Jan Matejko, die oneiromatischen Malereien von Witkacy, der wundervolle Schnitzaltar von Veit Stoß in der Krakauer Marienkirche und die Madonna von Krużlowa, die kleine Kirche in Dębno und die Basilika in Licheń. Also eine abwechslungsreiche Vielfalt.

Polens Schriftgut war über viele Jahrhunderte hinweg nur eine Randerscheinung der großen französischen, deutschen, englischen und russischen Weltliteratur. Einen besonderen Platz in der polnischen Literaturtradition nimmt dagegen die Verskunst ein; die Prosa errang nie einen derartigen Universalismus, und kein einziger polnischer Roman fand je seinen Platz im europäischen Kanon. Vier Polen wurden mit dem Nobelpreis für Literatur geehrt: Henryk Sienkiewicz (1905), Władysław Reymont (1924), Czesław Miłosz (1980) und Wisława Szymborska (1996). Weit seiner Zeit voraus war Stanisław Ignacy Witkiewicz „Witkacy", der Visionär, Schriftsteller und Dramaturg, dessen Werke in der ganzen Welt aufgeführt werden. Ein Original und ein weltbekannter Schriftsteller zugleich war ebenfalls Witold Gombrowicz. Aber auch die zeitgenössische polnische Literatur bedeutet vor allem Lyrik, und ihre berühmtesten Vertreter sind selbstverständlich Czesław Miłosz, Wisława Szymborska, Zbigniew Herbert sowie Tadeusz Różewicz.

Das größte Werk der gotischen Schnitzkunst in Polen ist der Hochaltar von Veit Stoß in der Krakauer Marienkirche. Aber davon abgesehen kommen die polnische Gotik und Renaissance vor allem in den Bauwerken zur Geltung. Vom Barock geprägt ist dagegen besonders die sakrale Baukunst. Die Gemälde von Canaletto versetzen uns in das prachtvolle Warschau des 18. Jh. Marcello Baciarelli und Jean Pierre Norblin hingegen, deren Malerei die Geschichte und Sitten des Landes veranschaulichte, waren die Wegbereiter der polnischen Nationalkunst. Im 19. Jh. erlebte die polnische Malerei ihre größte Blüte, und ihre namhaftesten Vertreter sind Piotr Michałowski, Wojciech Gerson, die Gebrüder Gierymski und vor allem Jan Matejko. An der Wende des 19. zum 20. Jh. entwickelte sich die Kunstströmung Junges Polen mit Stanisław Wyspiański, Józef Mehoffer, Leon Wyczółkowski und Jacek Malczewski an der Spitze. Aus dieser Zeit stammt der von Stanisław Witkiewicz geschaffene Zakopane-Stil in der Baukunst und Ornamentik. Von den Künstlern der Zwischenkriegszeit sind vor allem Tadeusz Makowski, Zbigniew Pronaszka sowie die Pariser Kapisten-Gruppe zu nennen und selbstredend als eine Erscheinung für sich S.I. Witkiewicz „Witkacy", der Sohn von Stanisław Witkiewicz, dem Schöpfer des Zakopane-Stils. In der zweiten Hälfte des vergangenen Jahrhunderts haben sich vor allem Tadeusz Brzozowski und Władysław Hasior einen Namen gemacht, und gegenwärtig ist Magdalena Abakanowicz die weltweit bekannteste Künstlerin Polens.

Der einzige überall in der Welt bekannte polnische Komponist ist der romantisch-poetische Frédéric Chopin. Aber auch die Musik von Karol Szymanowski gewinnt zunehmend an Popularität. Von den Komponisten unserer Zeit erfreut sich Henryk Mikołaj Górecki, dem wir u.a. die hervorragende Dritte Sinfonie verdanken, höchsten Ansehens. Darüber hinaus werden ebenfalls die Werke von Witold Lutosławski und Krzysztof Penderecki in den Konzertsälen der Welt ausgetragen. Wojciech Kilar und Zbigniew Preisner sind dagegen vor allem durch ihre wunderbare Filmmusik weltbekannt geworden. Auf den größten Weltbühnen gibt seit vielen Jahren Krystian Zimmerman Klavierkonzerte, und Tomasz Stańko gilt weltweit als einer der besten Jazztrompeter. Großer Anerkennung erfreut sich ebenfalls die Musik des bereits verstorbenen Pianisten und Komponisten Krzysztof Komeda.

Der bedeutendeste polnische Filmschöpfer ist der seit vielen Jahren im Ausland lebende Regisseur Roman Polański. Zu seinen bekanntesten Streifen gehören „Das Messer im Wasser", „Chinatown" und „Tess". Sein Film „Der Pianist" errang in Cannes die „Goldene Palme". Der einzige polnische Filmregisseur, der einen Oskar bekommen hat, ist Andrzej Wajda. Mit dieser Statuette wurde er für sein Gesamtschaffen geehrt. Andrzej Wajda ist ebenfalls der Hauptvertreter der sog. „Polnischen Filmschule". Weltweite Resonanz riefen auch die Filme von Krzysztof Kieślowski hervor. Bei den Dokumentarfilmen sind Marcel Łoziński und Andrzej Fidyk hervorragende und anerkannte Größen.

Ihren festen Platz im Welttheaterschaffen haben sich Tadeusz Kantor, der Vater des Krakauer Theaters „Cricot 2" sowie Jerzy Grotowski, der Gründer und Leiter des Breslauer „Teatr Laboratorium" gesichert. Genannt werden sollte unbedingt auch Konrad Swinarski, der mit dem „Altem Theater" in Krakau verbunden war, und dem wir die unvergessliche Inszenierung der „Totenfeier" von Adam Mickiewicz verdanken. Das zeitgenössische Theaterschaffen Polens präentieren in der Welt vorzugsweise die alternativen Theater z.B. das „Gardzienice" von Włodzimierz Staniewski und das „Teatr Ósmego Dnia" aus Poznań.

Wenn man in gerader Linie die am weitesten nach Norden, Süden, Osten und Westen vorgeschobenen Punkte unseres Kontinents miteinander verbände, würden sich diese Linien nahezu in der Mitte Polens schneiden. Unser Land liegt also erwiesenermaßen an der Kreuzung der europäischen Wege. Für Russland war und ist Polen der Vorhof zum Westen, für die Franzosen und Deutschen der Vorbote des beängstigenden Ostens. Seit Jahrhunderten als Bollwerk des abendländischen Christentums angesehen, war Polen gleichzeitig eine Oase der religiösen Toleranz. Das Land hatte unter vielen militärischen Angriffen zu leiden, ebenfalls unter den zwei großen Weltkriegen. Im 16. Jh. gehörte Polen zu den mächtigsten Staaten des Kontinents, wurde aber zwei Jahrhunderte später durch unglückliche Ereignisse für lange 123 Jahre von der Landkarte Europas gefegt. Nach einer kurz dauernden Stabilität in der Zwischenkriegszeit, folgte die tragische Nazi-Besatzung abgewechelt von der Terrorherrschaft der Sowjets. Erst seit 1989 ist Polen erneut ein freies und demokratisches Land und inzwischen ebenfalls voll berechtigtes politisches und wirtschaftliches Mitglied des vereinten Europas.

In Polen verflochten sich über Jahrhunderte hinweg römische und byzantinische Einflüsse. Man baute sowohl Basiliken als auch orthodoxe Gotteshäuser, und ebenfalls die jüdische Kultur brachte unsterbliche Kunstwerke hervor. Im Mittelalter entstanden Städte nach deutschem Recht, und die aus Italien stammende Königin Bona Sforza d`Aragona brachte die italienische Renaissance nach Polen. Hier wurden Nikolaus Kopernikus, Maria Skłodowska-Curie und der Friedensnobelpreisträger Lech Wałęsa geboren. Aus Polen stammt Papst Johannes Paul II., der das Antlitz unserer heutigen Welt so stark geprägt hat.

Die Polen sind verhältnismäßig wenig mobil und kommen nicht sehr viel in der Welt herum. Wenn man sie aber fragt, stellt sich heraus, dass sie die Sehenswürdigkeiten von Rom und die Strände Griechenlands viel besser kennen als die heimische Erde. Dabei ist Polen doch wahrhaftig ein interessantes, schönes und malerisches Land. Zwar haben wir weniger Bauwerke und Kirchen als die Italiener, nicht so viele Schlösser wie die Franzosen, nicht ganz so hohe Berge wie die Eidgenossen und weniger Strand als die Griechen zu bieten, aber dennoch ist Polen dank seiner abwechslungsreichen Landschaft und Lage im Herzen Europas ein reizvolles und sehenswertes Land, das man unbedingt kennen lernen solle. So ein Polen zeigen wir Ihnen hier als Land an der Wegkreuzung Europas.

Zalesione rozlewisko Wisły w okolicy Secymina na Mazowszu. →→
Wooded overflow-arms of the Vistula River in the vicinity of Secymin (Mazovia).
Bewaldetes Weichsel-Schwemmland in der Nähe von Secymin in Masowien

Krajobrazy
Landscapes
Landschaften

Mimo znacznej przewagi terenów nizinnych krajobraz Polski nie jest jednolity ani monotonny. W całym kraju znaleźć można urokliwe, piękne zakątki, ciekawe przyrodniczo miejsca, a także zapierające dech w piersiach pejzaże.

Już niedługie morskie wybrzeże Bałtyku oferuje szereg niezwykłych widoków. Na zachodzie wyspa Wolin z wysokimi nadmorskimi klifami i parkiem narodowym. W centralnej części wybrzeża Słowiński Park Narodowy z wielkimi ruchomymi wydmami w okolicach Łeby. Dalej na wschód przylądek Rozewie – najdalej wysunięty na północ kraniec Polski z wielką latarnią morską. I wreszcie najbardziej charakterystyczny element polskiego wybrzeża, półwysep Helski, o długości ponad 30 kilometrów, oddzielający Bałtyk od Zatoki Gdańskiej, w najwęższym miejscu liczący zaledwie 200 metrów.

Szwajcaria Kaszubska cieszy się sławą czystych jezior, pięknych borów i łagodnego, harmonijnego krajobrazu. Tu leży najwyższe wzniesienie północnej Polski Wieżyca (329 m). Pojezierza Pomorskie i Mazurskie to łagodny, pofałdowany teren obfitujący w setki jezior polodowcowych i piękne lasy. Na Mazurach leży największe polskie jezioro Śniardwy (109,7 km^2) oraz najgłębsze – Czarna Hańcza (112 m). Tutaj znajdziemy malowniczy Kanał Augustowski i rzekę Czarną Hańczę, miejsce jednego z najpopularniejszych spływów kajakowych. Za jeden z najpiękniejszych szlaków rzecznych uważana jest także rzeka Krutynia.

Bagna biebrzańskie to teren unikatowy w skali europejskiej. Biebrzę uważa się za jedyną dużą rzekę w Europie, która zachowała w pełni naturalny charakter. Rzeka swobodnie rozlewa się w szerokiej kotlinie, płynie licznymi meandrami, a otaczają ją długie na ponad 150 kilometrów mokradła i liczne, głębokie torfowiska. Bagna biebrzańskie stanowią od ponad 10 lat największy w Polsce park narodowy. Są one najważniejszą w kraju ostoją ptactwa. Obserwuje się tu ponad 250 gatunków ptaków, z których większość zakłada w rozlewiskach Biebrzy gniazda. Poza ptactwem bagna są matecznikiem łosi oraz bobrów.

Puszcza Białowieska to ostatni pierwotny las nizinny w Europie, od 25 lat znajduje się na liście Światowego Dziedzictwa Kulturalnego i Naturalnego UNESCO. Od 1947 roku część puszczy jest objęta ścisłą ochroną w ramach Białowieskiego Parku Narodowego. We wspaniałych lasach znajdują się wielkie kompleksy dębu i grabu z licznymi lipami i klonami. Około 2500 drzew uznano za pomniki przyrody. W puszczy żyją liczne zwierzęta podlegające ochronie, w tym liczące około trzystu osobników stado żubrów, reintrodukowane tu w 1952 roku.

Pas nizin środkowej Polski oferuje mniej zróżnicowany krajobraz, ale szachownica pól uprawnych, rozlewiska rzek i przydrożne wierzby tworzą w tej monotonii malownicze zakątki.

Nietypowym i oryginalnym miejscem w polskim krajobrazie była Pustynia Błędowska. Od lat jednak liczący około 30 km^2 obszar zarasta i stracił bezpowrotnie swój pustynny charakter. Innym godnym uwagi obszarem jest Wyżyna Krakowsko-Wieluńska z licznymi ostańcami skalnymi. Wśród atrakcji tego regionu, zwanego popularnie Jurą, na wyróżnienie zasługuje Dolina Prądnika objęta Ojcowskim Parkiem Narodowym, z charakterystyczną skałą zwaną Maczugą Herkulesa.

W niewielkich i niewysokich Górach Świętokrzyskich jedną z głównych atrakcji przyrodniczych jest Jaskinia Raj. Oświetlona i udostępniona dla ruchu turystycznego zachwyca bogactwem szaty naciekowej. W tym regionie warto także zwrócić uwagę na Święty Krzyż na Łysej Górze – dawniej było to miejsce przedchrześcijańskiego kultu religijnego, a następnie katolickie sanktuarium i ośrodek pielgrzymkowy.

Południe Polski zajmują dwa pasma górskie – Sudety i Karpaty. W Sudetach wyróżnić należy ich najwyższe pasmo Karkonosze z najwyższym szczytem – Śnieżką (1602 m). To jedyne poza Tatrami pasmo z piętrem alpejskim, licznymi wodospadami i karami polodowcowymi. Największymi z nich są Śnieżne Kotły otoczone ścianami o wysokości do 200 metrów. Karkonosze są również terenem chronionym, znajduje się tu Karkonoski Park Narodowy. Charakterystyczną częścią Sudetów są także Góry Stołowe, zbudowane głównie z piaskowców tworzących fantastyczne formy skalne.

Najwyższym szczytem rozległych Beskidów jest Babia Góra (1725 m), najwyższy szczyt w Polsce poza Tatrami. Beskidy to stosunkowo łagodne wzgórza porośnięte lasami, tylko nieliczne szczyty wyłaniają się ponad górną granicą lasu. Najdalej na wschód wysuniętym pasmem górskim są Bieszczady, w Polsce leży jedynie ich zachodnia część. Charakterystycznym elementem krajobrazu Bieszczad są połoniny – unikatowe górskie łąki ciągnące się aż po najwyższe szczyty, nieco powyżej 1000 m npm.

Na licznych górskich rzekach postawiono zapory tworząc sztuczne zbiorniki wodne. Największą jest zapora na Sanie tworząca Zalew Soliński, piękne jezioro na przedpolu Bieszczad.

Pieniny to małe, niewysokie pasmo górskie słynne z malowniczych widoków i swojej głównej atrakcji – Przełomu Dunajca. Rzeka przełamuje się tu przez wapienne skały tworząc głęboki wąwóz. Na odcinku 15 kilometrów rzeka tworzy siedem wielkich zakrętów, na dystansie niespełna trzech kilometrów w linii prostej Dunajec ma osiem kilometrów długości. Rzeka mija słynne pienińskie szczyty – Trzy Korony i Sokolicę z charakterystycznymi karłowatymi sosnami poniżej wierzchołka. Przez przełom prowadzi szlak popularnego spływu drewnianymi tratwami. Dodatkową atrakcją okolicy są dwa sztuczne zbiorniki wodne napełnione w 1997 roku – jeziora Czorsztyńskie i Sromowieckie oraz dwa średniowieczne zamki w Czorsztynie i Niedzicy.

I na koniec najwyższe góry w Polsce – Tatry. Stosunkowo niewielkie, ale mimo to oferujące prawdziwie alpejskie widoki. Morskie Oko – największe i uważane za najpiękniejsze tatrzańskie jezioro, otoczone ścianami przewyższającymi o tysiąc metrów taflę stawu, tworzącymi fantastyczny skalny amfiteatr – najlepiej unaocznia potęgę i piękno Tatr. Nieopodal nad Czarnym Stawem wznosi się najwyższy szczyt Tatr Polskich – Rysy (2499 m). Uważana za najpiękniejszą Dolina Gąsienicowa, w której leży aż 21 stawów, imponuje wysokogórskim widokiem, a wzrok sięga hen aż po powietrzną Orlą Perć. Liczne stawy, potoki, wodospady, jaskinie, wywierzyska, polodowcowe kotły, skalne ściany i iglice sprawiają, że krajobraz tatrzański jest nadzwyczaj urozmaicony i różnorodny. Tatry są jedną z turystycznych wizytówek Polski i jednym z najbardziej znanych polskich krajobrazów.

← Mazowsze. Charakterystyczny równinny krajobraz z kwitnącymi wierzbami.
The peculiar landscape of Mazovian plains with willows in full blossom.
Masowien. Charakteristisches Flachland mit blühenden Weiden

Although lowlands notably prevail in Poland, its landscape could on no account be described as homogenous or monotonous. Beautiful, enchanting corners, sites attractive for their environmental value as well as breath-taking panoramas are ubiquitous.

The relatively short Baltic seashore itself offers some spectacular vistas. To the west – the island of Wolin with its elevated cliffs and a national park. Midmost – Słowiński National Park astounding visitors with immense movable sand-dunes around the town of Łeba. Further to the east the curious wanderer encounters Cap Rozewie – northernmost tip of Poland topped with an enormous lighthouse. And finally, the most emblematic scrap of the Polish seaside: the Hel Peninsula measuring 30 kilometres in length and, at its narrowest point, a mere 200 metres in width. The strip of land separating the Baltic See from the Bay of Gdańsk.

The Kashubian Switzerland is famous for crystal-clear lakes, magnificent forests and mild, harmonious landscape. It is here that the highest elevation of northern Poland is located – Wieżyca (329 m). The regions of Pomorskie and Mazurskie Lake Districts are mildly undulated and abound in post-glacial lakes and enchanting woodlands. The biggest of Polish lakes – Śniardwy (109.7 sq. km) – as well as the deepest – Czarna Hańcza (112 m.) are both to be found in Mazury. The district also offers picturesque Augustowski Canal and the river Czarna Hańcza – a popular destination for canoe enthusiasts. The Krutynia River also enjoys the reputation of one of the most exquisite water routes.

The marshes of Biebrza are unrivalled by any similar area in Europe, as Biebrza is considered the sole large European river to retain its thoroughly natural character. Biebrza overflows without restraint into a wide dale and it meanders freely. 150 kilometres-long marshes and innumerable, deep turbaries surround the riverbed. For over 10 years the marshes of Biebrza have been the biggest of Polish National Parks. They constitute Poland's main bird sanctuary, where over 250 birds' species may be observed. Most of them nest in the overflows of Biebrza. Elks and beavers also inhabit the nearby backwoods.

Białowieża Primeval Forests are the last remaining primeval lowland woods in Europe. 25 years ago the area was inscribed on the World Heritage List run by UNESCO. Since 1947 a limited area of the forest has been included in the division of strict reserve within the Białowieski National Park. This magnificent untouched woodland area is a complex of oaks and hornbeams with a touch of linden and maples. Approximately 2500 of the trees were labelled monuments of nature. The forest is a home to innumerable preserved species, including a herd of European bison, nearly 300 animals strong. The species was re-introduced in 1952.

The belt of Polish middle lowlands exhibits a more homogenous landscape; however, the chessboard-like fields, freely winding rivers and roadside willows add charm to the otherwise monotonous panorama.

The Błędowska Desert used to be an unrivalled and original element of Polish landscape. Regrettably, this area of nearly 30 sq. km has been overgrowing and gradually losing its desert character. The Krakowsko-Wieluńska Upland, however, is a fascinating region, particularly for its numerous monadnocks. The Upland, commonly known as Jura, embraces the Valley of River Prądnik, part of Ojcowski National Park, where an easily distinguishable rock, named the "Hercules' Club", deserves particular attention.

The Świętokrzyskie Mountains, not particularly soaring, are famous for their chief natural attraction: Jaskinia Raj (the Paradise Cave). It is well lit and open to visitors, who are welcome to admire its rich travertine formations. Another tourist spot in the region is Święty Krzyż (the Holy Cross) on top of Łysa Góra – formerly the site of pre-Christian religious cult, currently Catholic sanctuary and pilgrimage centre.

Two mountain chains stretch across the South of Poland – Sudety and Karpaty. The most elevated range of Sudety form Karkonosze with its highest peak – Śnieżka (1602 m). Beside the Tatra Mountains, Karkonosze is the only Polish mountain chain possessing an alpine layer, innumerable waterfalls and post-glacial cirques, the biggest of which – Śnieżne Kotły – is enclosed by walls towering up to 200 metres. Karkonoski National Park was established in the area in order to ensure that all assets of Karkonosze are preserved. Góry Stołowe (the Table Mountains), another distinctive component of Sudety, astound with phantasmagoric shapes built of sandstone.

The highest peak of the widespread Beskidy Mountains is Babia Góra (1725 m), Poland's highest mountaintop outside the Tatras. Beskidy is a chain of relatively low wooded hills, only very few peaks exceeding the upper forest level. Its easternmost section are Bieszczady Mountains, whose western part is the only lying within Polish territory. Połoniny – unique mountain pastures ranging up to the mountain tops exceeding 1000 metres above the sea level – are typical of the region.

Many of the mountain rivers were fitted with dams, forming artificial water reservoirs. The biggest construction of this sort was erected on the river San, where as a result Zalew Soliński (the Soliński Reservoir) was formed – a magnificent lake at the foothills of Bieszczady.

Pieniny are a minor mountain chain distinguished by particularly picturesque vistas and its main tourist attraction – the Gorge of Dunajec. The river fights its way through limestone blocks producing a steep-walled ravine. Along 15 kilometres, the waterbed winds into seven enormous curves, on the distance of mere 3 kilometres along straight line the river's length amounts to eight kilometres. Dunajec passes by the emblematic peaks of Pieniny – Trzy Korony (Three Crowns) and Sokolica with their characteristic scrub pine trees just below the top. The river is an appreciated location for water-rafting on wooden rafts. Two artificial reservoirs – Czorsztyńskie and Sromowieckie lakes (filled with water in 1997) – serve as another point of interest, together with medieval castles in Czorsztyn and Niedzica.

And finally, Poland's mightiest mountain range – the Tatras. Not particularly far-reaching, nevertheless offering a truly alpine panorama. Morskie Oko – the biggest of Tatras' lakes and supposedly the most beautiful, is surrounded by steep walls of rock, towering a thousand metres over the water-surface; fabulous amphitheatre of stone, most perfectly visualising the might and beauty of the Tatras. From the shores of the nearby Czarny Staw (the Black Tarn) rises the highest peak of Polish Tatras – Rysy (2499 m). The Gąsiennicowa Valley, perceived to be the most enchanting of Tatras' valleys, embraces 21 ponds, impresses with breath-taking alpine panorama and offers magnificent view stretching far towards Orla Perć (The Eagles' Path). Multitudinous lakes, brooks, waterfalls, caves, karstic springs, post-glacial pot-holes, stone walls and jags all contribute to remarkable diversity and heterogeneity of the Tatras' landscape – the pride and glory of Polish tourism and one of the best known images of Polish landscape.

Trotz vorherrschenden Flachlandes ist Polens Landschaft keineswegs eintönig oder gar langweilig. Überall findet man idyllische Fleckchen, naturkundlich interessante Orte und atemberaubende Landstriche.

Allein die polnische Ostseeküste hält vielerlei Naturschönheiten parat. Im Westen liegt die Insel Wolin mit ihrem hohen Kliff und dem gleichnamigen Nationalpark. Im mittleren Küstenteil überrascht der Słowiński-Nationalpark mit den imposanten Wanderdünen in der Gegend von Łeba. Das Kap Rozewie weiter östlich mit seinem großen Leuchtturm bildet den am weitesten nach Norden vorgeschobenen Zipfel Polens. Und nicht zuletzt der typischste Abschnitt der polnischen Ostseeküste und zwar die über 30 km lange, sichelartige Halbinsel Hel, die die Ostsee von der Danziger Bucht trennt und an ihrer schmalsten Stelle kaum 200 Meter misst.

Die Kaschubische Schweiz hat durch ihre kristallklaren sauberen Seen, prächtigen Wälder und die sanfte, ebenmäßige Landschaft viele Freunde gewonnen. Hier befindet sich der Berg Wieżyca (329 m), die höchste Erhebung Nordpolens. Die Pommersche und Masurische Seenplatte zeichnen sich aus durch ihr sanft gefaltetes Gelände, das mit Hunderten nacheiszeitlichen Seen und schönen Wäldern besetzt ist. In Masuren befinden sich der Śniardwy, der mit 109,7 km² größte See Polens sowie der Czarna Hańcza (112 m), der tiefste See des Landes. Hier laden ebenfalls der malerische Augustów-Kanal und der Fluss Czarna Hańcza ein, die es den Paddlern ganz besonders angetan haben. Als eine der schönsten Kajakrouten gilt ferner der Fluss Krutynia.

Die Biebrza-Sümpfe sind im Europamaßstab einmalig, und der Fluss Biebrza selbst ist der einzige große Fluss unseres Kontinents, der seinen natürlichen Lauf vollkommen bewahrt hat. Die Biebrza überschwemmt regelmäßig ihr ausgedehntes Flusstal, mäandert weit verzweigt durch die Landschaft und wird auf über 150 km von Sümpfen und Torfmooren gesäumt. Die Biebrza-Sümpfe stehen seit über 10 Jahren als Nationalpark unter Schutz und bilden das größte Vogelparadies Polens. Hier wurden über 250 Vogelarten gesichtet, von denen die meisten im Überschwemmungsgebiet der Biebrza nisten. Außer der reichen Ornis sind in den Sümpfen Elch und Biber zu Hause.

Der Białowieska-Urwald bildet das letzte primäre Waldgebiet Europas und befindet sich seit 25 Jahren auf der UNESCO-Liste des Weltnaturerbes. Seit 1947 steht ein Teil des Urwaldes als Białowieski-Nationalpark unter Schutz. In den prachtvollen Wäldern wachsen ganze Ansammlungen von Eichen und Weißbuchen mit zahlreichen Linden- und Ahornbeimischungen. Annähernd 2500 Bäume wurden zu Naturdenkmälern erklärt. Im Urwald leben ebenfalls viele naturgeschützte Tierarten, darunter eine etwa dreihundert Exemplare zählende Wisentherde, deren Vorgänger hier 1952 wieder eingebürgert wurden.

Der Flachlandstreifen Mittelpolens hat eine weniger abwechslungsreiche Landschaft zu bieten. Aber die schachbrettartig angelegten Äcker, die Flussgebiete sowie die malerischen Weidenbäume entlang der Feldwege verleihen dieser auf den ersten Blick etwas monoton anmutenden Region einen Hauch von Romantik.

Ein außergewöhnlicher und origineller Bestandteil der polnischen Landschaft war die Błędowska-Wüste. Aber seit einigen Jahren wächst dieses etwa 30 km² große Gebiet almählich zu und verlor rettungslos seinen wüstenähnlichen Charakter. Ein anderes bemerkenswertes Gebiet ist die Krakau-Wieluń-Hochebene mit zahlreichen Restbergen. Von den Attraktionen der Region, die landläufig oft Jura genannt wird, ist vor allem das Prądnik-Flusstal im Ojcowski-Nationalpark hervorzuheben. Sein Wahrzeichen ist ein eigentümlicher Felsen, der wegen seiner Gestalt als Herkuleskeule bezeichnet wird.

Im nicht sehr hohen Świętokrzyskie-Gebirge gehört die Paradieshöhle (Jaskinia Raj) zu den größten Anziehungspunkten. In dieser beleuchteten Höhle sind die Touristen ganz besonders von der Vielfalt der Tropfsteingebilde begeistert. Beim Aufenthalt in der Region gilt ebenfalls dem Berg Łysa Góra, auch Święty Krzyż (Heiliges Kreuz) genannt, Aufmerksamkeit. Einst befand sich dort eine vorchristliche Kultstätte, an deren Stelle später eine Klosteranlage entstand, die zu einem wichtigen Wallfahrtsort heranwuchs.

In Südpolen verlaufen die Sudeten und Karpaten. Den höchsten Teil der Sudeten bildet das Riesengebirge (Karkonosze), mit dem höchsten Berg Schneekoppe (1602 m). Das Riesengebirge ist außer der Tatra das einzige Gebirge Polens mit alpiner Zone, zahlreichen Wasserfällen und nacheiszeitlichen Gletscherschluchten. Die größten davon sind die sog. Schneegruben, die von bis zu 200 m hohen Felswänden umgeben sind. Das Riesengebirge steht als gleichnamiger Nationalpark unter Naturschutz. Kennzeichnend für die Sudeten ist ebenfalls das Heuscheuergebirge (Góry Stołowe), das vorwiegend aus Quadersandstein besteht und viele bizarre Felsformationen bildet.

Der höchste Berg der weiten Beskiden sowie ganz Polens ist mit 1725 m der Babia Góra (von den Gipfeln der Tatra selbstverständlich abgesehen). Aber ansonsten kennzeichnen sich die Beskiden durch verhältnismäßig sanfte, waldige Erhebungen; nur wenige Gipfel ragen über die obere Waldgrenze hinaus. Der am weitesten im Osten verlaufende Gebirgszug sind die Ostbeskiden (Bieszczady), von denen nur der Westteil in Polen liegt. Typisch für dieses Gebirge sind die ausgedehnten Bergwiesen (landläufig *połoniny* genannt), die bis in die höchsten Lagen (etwas über 1000 m ü.d.M.) reichen.

An vielen Gebirgsflüssen sind Talsperren mit Stauseen entstanden. Den größten Staudamm besitzt der Fluss San mit dem wunderschönen Soliński-Stausee am Fuße der Ostbeskiden.

Pieniny heißt ein kleines Gebirge, das außer herrlichen Aussichten eine Touristenattraktion ohnegleichen zu bieten hat: Und zwar sind das Floßfahrten auf dem Dunajec, der sich hier seinen Weg durch die Kalkfelsen bahnt und dabei eine tiefe Schlucht durchzieht. Auf einer Strecke von 15 Kilometern bildet der Fluss sieben riesige Bogen, wobei sich seine Schleifen auf einem drei Kilometer langen Abschnitt dermaßen dicht aneinander drängen, dass sie gut 8 km lang wären, würde man sie vollkommen gerade ziehen. Die Floßfahrt führt an den bekannten Pieniny-Bergen Trzy Korony (Drei Kronen) und Sokolica vorbei, die unterhalb des Gipfels mit Zwergkiefern bewachsen sind. Eine zusätzliche Attraktion der Gegend bilden der Czorsztyńskie- und der Sromowieckie-Stausee, die beide 1997 entstanden sind sowie die zwei mittelalterlichen Burgen in Czorsztyn und Niedzica.

Und nun beginnt die Tatra, das höchste Gebirge Polens. Zwar befindet sich in Polen nur ein verhältnismäßig kleiner Teil davon, aber die Aussichten von ihren Gipfeln lassen keinen Zweifel aufkommen, dass man es mit einem alpinen Gebirge zu tun hat. Der größte und schönste Tatra-Bergsee ist der Morskie Oko, der von Bergwänden gerahmt wird, die seinen Wasserspiegel um tausend Meter überragen und ein phantastisches Amphitheater aus Felsen bilden. Hier kommen die Größe und Schönheit der Tatra besonders deutlich zum Ausdruck. Ganz in der Nähe, am Bergsee Czarny Staw, erhebt sich der Rysy (2499 m), der höchste Gipfel der polnischen Tatra. Das Gąsienicowa-Tal, in das sich gleich 21 Seen betten, gilt als herrlichstes in der Tatra und fasziniert durch das wundervolle Hochgebirgspanorama. Der Blick reicht hier bis hin zu dem himmelhohen Kammwanderweg Orla Perć. Eine Vielzahl an Seen, Bächen, Wasserfällen, Höhlen, Karstquellen, nacheiszeitlichen Kesseln, Felswänden und Felsnadeln bewirken, dass das hiesige Landschaftsbild dermaßen bunt und abwechslungsreich ist. Die Tatra gehört zu den touristischen Visitenkarten und den bekanntesten Landschaften Polens.

Brzeg Bałtyku w Słowińskim Parku Narodowym. Największą atrakcją parku są wędrujące wydmy.
Baltic seashores in Słowiński National Park. Movable sand-dunes astound visitors.
Ostseeküste im Słowiński-Nationalpark. Die größte Attraktion des Parks sind die Wanderdünen.

← Słowiński Park Narodowy – jeden z największych parków narodowych w Polsce, uznany przez UNESCO za Światowy Rezerwat Biosfery.
Słowiński National Park – one of Poland's largest national parks – has been included by UNESCO into the World Biosphere Reserve.
Der Słowiński-Nationalpark gehört zu den größten Nationalparks Polens und wurde von der UNESCO zum Weltbiosphärenreservat erklärt.

Interesujący na Suwalszczyźnie jest urozmaicony, morenowy krajobraz, wyrzeźbiony przez cofający się lodowiec.
The Suwałki region intrigues with varied moraine landscape carved by the retreating glacier.
Die abwechslungsreiche Moränenlandschaft in der Region Suwałki wurde von einem zurückweichenden Gletscher geformt.

Jezioro Czarne na Pojezierzu Olsztyńskim. →
The Czarne (Black) Lake in Olsztyńskie Lake District.
Der See Czarne in der Allensteiner Seenplatte

Największa polska rzeka – Wisła, płynąca szerokim korytem w okolicy Płocka.
Poland's grandest river – the Vistula – winding along its broad riverbed near Płock.
Die Weichsel, der größte Fluss Polens, präsentiert sich in der Gegend von Płock ganz besonders imposant.

Mazowsze. Nieuregulowana, meandrująca rzeka Bug nieopodal wsi Kamieńczyk. →
Mazovia. Unrestrained river of Bug meanders freely in the vicinity of Kamieńczyk village.
Masowien. Die Mäander des unbegradigten Flusses Bug unweit des Dorfes Kamieńczyk

Okolice Szydłowa. Ciekawe, powstałe w wyniku wietrzenia piaskowca Skałki Piekło, rezerwat przyrody. →→
Szydłowo region. Remarkable forms of weathering sandstone rocks – Skałki Piekło (Hell Rocks), natural reserve.
Umgebung von Szydłów. Die interessanten, infolge von Sandsteinerosion entstandenen Skałki Piekło (Höllenfelsen) im Naturschutzgebiet

Maki – polne chwasty, nadają kolorytu mazowieckiemu domostwu.
Poppies – this ubiquitous weed of Mazovian fields adds to the charm of local homesteads.
Klatschmohn verleiht den masowischen Anwesen ein ganz besonderes Flair.

← Okolice Rozalina. Popularnym mazowieckim lasem jest brzezina, rosnąca na podmokłych terenach.
The vicinity of Rozalin. Birch woods prevail in the boggy areas of Mazovia.
In der Gegend von Rozalin. Die für Masowien typischen Birkenwäldchen bevorzugen feuchtes Gelände.

Pałuki, kraina na północno-wschodnim krańcu Wielkopolski to żyzne tereny z ciągnącymi się pod horyzont polami.
Pałuki, the land at the north-eastern frontiers of Wielkopolska, is the region of fertile fields stretching far beyond the horizon.
Pałuki ist eine fruchtbare Landschaft am Nordostrand Großpolens mit Feldern so weit das Auge reicht.

Jezioro Góreckie w Wielkopolskim Parku Narodowym. →
The Góreckie Lake in Wielkopolski National Park.
Der See Góreckie im Großpolnischen Nationalpark

Wiejska droga obsadzona wierzbami w okolicy wsi Jabłeczna na Podlasiu, kilka kilometrów od granicy z Białorusią.
Jabłeczna village in Podlasie region, only several kilometres away from the Byelorussian border. Willows at the side of the village road.
Ein von Weiden gesäumter Feldweg in der Nähe des Dorfes Jabłeczna in der Region Podlasie, nur wenige Kilometer von der weißrussischen Grenze entfernt.

Jeziorzany na Lubelszczyźnie. Pastwiska nad rzeką Wieprz, prawym dopływem Wisły. →
Jeziorzany in Lublin region. Riverside pastures on the bank of Wieprz, one of the right-hand side tributaries of the Vistula River.
Jeziorzany in der Region Lublin. Weideland am Fluss Wieprz, dem rechten Nebenfluss der Weichsel

Brzeg Dolny na Śląsku. Zamarznięty brzeg Odry. →→
Brzeg Dolny in Silesia. Frozen waterside of the river Odra.
Brzeg Dolny in Schlesien. Zugefrorenes Oderufer

Potok Złoty. Ukryty w lesie, naturalny kamienny most wapienny zwany Bramą Twardowskiego.
Potok Złoty (Golden Stream). This natural limestone bridge, known as Brama Twardowskiego (Twardowski Gateway), is hidden deep in the seclusion of thick forests.
Potok Złoty. Die im Wald versteckte natürliche Kalksteinbrücke wird ebenfalls Twardowski-Tor genannt.

Ogrodzieniec. Wapienne skałki – typowy element krajobrazu Jury Krakowsko-Częstochowskiej. →
Ogrodzieniec. Limestone rocks prevailing in the landscape of Jura Krakowsko-Częstochowska.
Ogrodzieniec. Bizarre Kalkfelsen prägen das Krakau-Częstochowa-Hochland.

Beskid Wyspowy. W górnych partiach wzgórza Paprotnia proces wietrzenia piaskowców uformował grupę skał nazwanych Kamieniami Brodzińskiego.
Beskid Wyspowy. Towards the peak of Paprotnia hill weathering processes of sandstone rocks led to the formation of stone blocks labelled The Brodziński Stones.
Gebirgszug Beskid Wyspowy. In den oberen Abschnitten der Paprotnia-Anhöhe hat der Sandstein-Verwitterungsprozess eine Felsgruppe geschaffen, die Brodziński-Steine genannt wird.

Okolice Sandomierza. Nadwiślańskie brzegi zalane wiosennym przyborem wód. →
The vicinity of Sandomierz. The waterside of the Vistula under spring flood waters.
Umgebung von Sandomierz. Vom Frühjahrshochwasser überflutetes Weichselufer

Spisz w Małopolsce. Pofałdowany teren i wąskie poletka stworzyły malowniczy pejzaż.
Spis in Małopolska region. Undulating hills and narrow strips of plough-land combine to form remarkably picturesque vista.
Zips in Kleinpolen. Das faltige Gelände und die kleinen Felder bilden eine beschauliche Landschaft.

Widok z Sokolicy na Dunajec w Pienińskim Parku Narodowym. →
The panorama of Dunajec in Pieniński National Park as observed from Sokolica.
Blick vom Gipfel des Sokolica auf den Fluss Dunajec und den Pieniński-Nationalpark

Panorama Tatr dominująca nad podhalańskimi wioskami oglądana z osiedla Sierockie na Pogórzu Gubałowskim. →→
The Tatra Mountains towering over the villages of Podhale, viewed from the settlement of Sierockie in Pogórze Gubałowskie.
Blick von der Siedlung Sierockie im Gubałówka-Vorgebirge auf das Tatra-Panorama und die malerischen Podhale-Dörfer

Torfowiskowy rezerwat Bór na Czerwonem w okolicy Nowego Targu.
Turbary reserve area of Bór na Czerwonem near Nowy Targ.
Torfmoor-Naturschutzgebiet „Bór na Czerwonem" in der Gegend von Nowy Targ

Dymy z wypalanych traw snujące się między ostrewkami z sianem w Bukowinie Tatrzańskiej. →
Wisps of smoke from burnt-out grasslands float on the air among haystacks of Bukowina Tatrzańska.
Der Rauch abgebrannter Wiesen schwebt zwischen den Heuschobern in Bukowina Tatrzańska.

Tatry. Krokus czyli szafran spiski występuje masowo wiosną na tatrzańskich polanach.
The Tatras. In the spring crocus or saffron is ubiquitous on the Tatra glades.
Die Tatra. Im Frühjahr bedeckt ein weiter Krokus-Teppich die Tatra-Wiesen.

← Tatry Wysokie. Czarnostawiańska Siklawa – wodospad spadający do Morskiego Oka.
The High Tatras. Czarnostawiańska Siklawa – the waterfall cascading into the tarn of Morskie Oko.
Die Hohe Tatra. Der Wasserfall Czarnostawiańska Siklawa stürzt in den Bergsee Morskie Oko.

Tatry Wysokie. Niżnie Rysy w chmurach i Turnia Zwornikowa z Doliny za Mnichem. →→
The High Tatras. Niżnie Rysy surrounded by clouds and Turnia Zwornikowa viewed from Dolina za Mnichem.
Die Hohe Tatra. In Wolken gehüllter Gipfel Niżnie Rysy und die Zwornikowa-Zacke vom Tal Za Mnichem aus gesehen

Tatry Wysokie. Wznoszące się nad Doliną Gąsienicową szczyty Kościelca i Świnicy w zimowej szacie.
The High Tatras. The peaks of Kościelec and Świnica in their winter attire towering over Gąsienicowa Valley.
Die Hohe Tatra. Die über dem Gąsienicowa-Tal thronenden Gipfel Kościelec und Świnica im Winterkleid

Las reglowy w Tatrach Wysokich. →
Subalpine forest in the High Tatras.
Gebirgswald in der Hohen Tatra

II

Miasta

Cities

Städte

Historycy religii powiadają, że każde nowe osiedle ludzkie jest w pewnym sensie odtworzeniem świata. Budowa każdego miasta to ponowne naśladowanie stworzenia świata. Dlatego miasta posiadają swoją strukturę i są przestrzenią uporządkowaną. W szczególności dotyczy to starych miast, o zachowanym dawnym układzie urbanistycznym. W centrum takiego miasta znajdował się kościół bądź rynek, a otaczały go mury mające nie tylko znaczenie obronne, ale także symboliczne – wydzielały miasto z otaczającej przestrzeni, z chaosu. Współczesne miasta także odtwarzają ten porządek, choć często posiadają wiele centrów otoczonych wiankiem nowych dzielnic mieszkalnych i przemysłowych.

Najlepszym przykładem dawnego układu urbanistycznego jest krakowskie Stare Miasto, osadzone na prawie magdeburskim, opasane wstęgą Plant, zbudowane wokół największego w średniowiecznej Europie Rynku z ratuszem i Sukiennicami, związane z górującym nad nim Wawelem. Zachowały się resztki murów miejskich z Bramą Floriańską i Barbakanem. W pewnej odległości od Plant biegnie tzw. druga obwodnica pokazująca jak w późniejszych wiekach miasto rozwijało się wokół swojego średniowiecznego centrum.

Dzielnica Krakowa Kazimierz, to dawniej samodzielne miasto, jeden z głównych w Europie ośrodków żydowskiej diaspory, pełen zabytków, synagog i kościołów, malowniczych uliczek i placów. Z kolei Nowa Huta, dzielnica Krakowa, to jedyne w Polsce miasto zbudowane zgodnie z kanonami architektury socrealistycznej, pełne monumentalnych budowli z zachowanym w rejonie centrum oryginalnym układem urbanistycznym.

Stare i Nowe Miasto w Toruniu to przykład znakomicie zachowanego dawnego układu urbanistycznego. Nagromadzenie cennych zabytków architektury spowodowało wpisanie Torunia na listę zabytków UNESCO. Najcenniejszy jest układ Rynku Starego Miasta z ratuszem, pomnikiem i domem Kopernika, gotyckie kamienice oraz mury obronne nad wiślanymi bulwarami.

Gdański Trakt Królewski utworzony przez Długi Targ i ulicę Długą stanowi centrum starego Gdańska. Mieści się przy nim miejski ratusz, fontanna Neptuna i Dwór Artusa, świadectwo materialnej potęgi gdańskiego mieszczaństwa. Ważnym elementem portowej przeszłości Gdańska jest Żuraw, który poza funkcją portowego dźwigu stanowił też rodzaj miejskiej bramy.

Średniowieczny układ urbanistyczny zachował się w Sandomierzu położonym wysoko na nadwiślańskiej skarpie. Zachował się tu rynek, ratusz i obronne mury, romański kościół św. Jakuba oraz zabytkowa kamienica – Dom Jana Długosza, nadwornego kronikarza królewskiego, a także rozbudowany system piwnic.

Łódź to przede wszystkim zabytki związane z rozwojem przemysłowej potęgi miasta oraz najdłuższa w Europie reprezentacyjna arteria handlowa – ulica Piotrkowska. Dominują na niej kamienice i budowle klasycystyczne i secesyjne, do znaczących zabytków zaliczyć można pałace łódzkich przemysłowców Scheiblera i Poznańskiego. Architekturę i klimat Łodzi współtworzyły trzy przenikające się kultury – polska, niemiecka i żydowska.

Stolica Polski – Warszawa to przykład rekonstrukcji miasta zniszczonego niemal doszczętnie w czasie drugiej wojny światowej. Do odtworzonej, zabytkowej substancji miasta należą Plac Zamkowy z Zamkiem Królewskim i Kolumną Zygmunta, Stare i Nowe Miasto, liczne parki i pałace. Kontrapunktem warszawskiej Starówki jest nowe centrum wokół socrealistycznego Pałacu Kultury, w którym dominują modernistyczne wieżowce.

Po wojnie zrekonstruowano także Stare Miasto we Wrocławiu. Średniowieczny ratusz znajdujący się na środku rynku to jedna z najbardziej okazałych świeckich budowli średniowiecznych w Europie.

Zamość zajmuje na mapie polskich miast szczególne miejsce. Założony przez hetmana Jana Zamoyskiego w 1580 roku, został od początku zaprojektowany i zbudowany zgodnie z zasadami europejskiego renesansu. W otoczonym murami mieście znalazły się Rynek Główny z ratuszem, dwa mniejsze rynki, kolegiata, cerkiew przekształcona następnie w kościół katolicki i synagoga. W mieście, do którego wiodły trzy bramy znajdował się także pałac ordynata i Akademia Zamojska. Projektantem Zamościa był włoski architekt Bernardo Morando.

Nie brak też w Polsce pięknych, małych miasteczek o harmonijnej, często zabytkowej zabudowie. Kazimierz Dolny nad Wisłą to przykład takiego miasteczka. Na rynku stoi jedna z najpiękniejszych renesansowych kamienic w Polsce. Doskonale zachowała się zdobiona reliefami fasada i piękna attyka. Poza tym warto zwrócić uwagę na resztę kameralnej, małomiasteczkowej zabudowy oraz kościół św. Jana Chrzciciela i św. Bartłomieja, a także stary układ urbanistyczny z pochodzącymi z 16. i 17. wieku spichlerzami.

Innym miasteczkiem o zachowanym średniowiecznym układzie jest Stary Sącz z kościołem i klasztorem klarysek ufundowanym w 13. wieku przez św. Kingę. Rynek otaczają charakterystyczne domy o charakterze dworkowym.

Wiele dawnych miast straciło swój charakter i znaczenie przekształcając się w wioski. Z kolei procesy urbanizacyjne po drugiej wojnie światowej spowodowały powstanie szeregu nowych miast, w których dominują osiedla mieszkaniowe z wielkiej płyty, chaos zabudowy, brzydota i brak charakteru. Ale w Krakowie, Toruniu, Starym Sączu czy Tykocinie żyje wciąż duch dawnych mieszczan, architektów i budowniczych. Bije tam serce miasta, które jest światem w skali mikro, przestrzenią harmonijną, oswojoną, ludzką.

← Gdańsk. Główne Miasto, Długie Pobrzeże nad Motławą.
Gdańsk. Main City, the Long Quay along the Motława River.
Danzig. Historische Rechtstadt, Langes Ufer an der Mottlau

Historians of religion claim that every new human settlement is, in a sense, a recreation of the world. Building a new city recurrently repeats the scheme of bringing the world into being. This is the underlying foundation of cities, which have a clearly specified structure and order. In particular older cities retaining original planning represent this scheme. Typically, the city-centre used to be occupied by a church or a market square; and surrounded by walls of both defensive and symbolic meaning – they isolated the city from the adjoining space and chaos. Urban centres of today tend to repeat that pattern, although they may occasionally form several central points encircled with new residential and industrial boroughs.

The Old Town of Cracow may serve as a perfect example to this ancient scheme of city-planning. Cracow was built in compliance with the Magdeburg city law, encircled with the ribbon of Planty green areas, erected around the central point of the Main Market Square (the biggest square of Medieval Europe) with the City Hall and the Cloth Hall. The Wawel Castle overlooks the whole city. Until the present time, remnants of fortification walls have survived, including Florian Gate and Barbican. Another circumferential layer of buildings around Planty clearly shows the stages of development that the city experienced, expanding around its medieval centre.

Kazimierz, a quarter of Cracow, used to be a fully independent settlement, one of the chief European centres of Jewish Diaspora, rich in historic monuments, synagogues and churches, charming narrow alleys and little squares. Nowa Huta, on the other hand, another of Cracow's boroughs, is the only Polish city erected in compliance with the principles of socialist realism architecture, abundant in prodigious edifices raised along original blueprints.

The Old and the New Town of Toruń distinctively exemplify traditional ideas of city planning. Due to abundance of edifices with historical value Toruń was inscribed into the UNESCO List of World Heritage. The arrangement of Toruń's Main Market with its city hall, monument of Copernicus and home of the great scientist, as well as Gothic buildings and fortifications along the Vistula's waterfront are commonly considered priceless.

The Royal Route of Gdańsk, central artery of the city, is composed of two avenues: Długi Targ (Long Market) and Długa (Long Street). It is here that the City Hall, the Neptun Fountain and the Artus Court are situated – a testimony to wealth and might of Gdańsk townsmen. Żuraw (The Crane), the evidence to Gdańsk's long tradition as a harbour, used to play a double role of a port facility and a city gate.

Medieval city structure has also been retained in Sandomierz, a town overlooking the waters of Vistula from a cliff towering high above the river. The surviving medieval elements include the main market, city hall, fortifications, Romanesque church of St. Jacob and an ancient house that used to be inhabited by Jan Długosz, the royal chronicler. Convoluted underground tunnels are also one of Sandomierz tourist attractions.

The sightseeing monuments of Łódź are chiefly associated with the city's industrial power and are predominantly accumulated in the vicinity of Piotrkowska St. – Europe's longest commercial avenue. The street exemplifies Classicist and Secession styles, its most valuable objects include rich palaces erected by wealthy factory owners: Scheibler and Poznański. For years, the overall atmosphere and architecture of Łódź has been shaped by three interwoven cultures – Polish, German and Jewish.

Warsaw – the capital of Poland – is a city that underwent comprehensive reconstruction after being utterly demolished during World War II. The recreated old part of the metropolis comprises the Castle Square with the Royal Castle and the Sigismund's Column,the Old and the New Town, countless parks and palaces. The new downtown part, encircling the socialist realist Palace of Science and Culture and dominated by modernist skyscrapers, acts as a counterpoint to the Warsaw's Old Town.

The Old Town of Wrocław was also restored after WWII. The medieval city hall erected in the very middle of the Main Market is one of the most sumptuous secular buildings of medieval Europe.

Zamość is an exception among Polish cities. It was established in 1580 by hetman Jan Zamoyski, who ordered to design the metropolis right from the beginning in compliance with the principles of Renaissance architecture. Consequently, within the fortification walls the city possesses the Main Market with centrally raised City Hall, two minor squares, collegiate church, Orthodox church transformed into a Catholic temple and a synagogue. The city of three entrance gates was also fitted with a manor house of an heir in tail and the Academy of Zamość. The blueprints of Zamość were composed by an Italian – Bernardo Morando.

Poland is also a country abundant in enchanting little towns, sharing harmonious, often historical style of architecture. Kazimierz-upon-Vistula is an instance of such settlement. Its market square contains one of the most magnificent Renaissance houses in Poland, with a richly ornamented relief facade and a splendid attic. The rest of small-town, close-circle architecture raised according to traditional patterns, churches of St. John the Baptist and St. Bartholomew, as well as 16th and 17th century granaries also deserves special attention.

Another instance of small-town architecture following medieval patterns is provided in Stary Sącz with its St. Clare's convent and church, founded in 13th century by St. Kinga. The market square is encircled by peculiar, manor-style houses.

Innumerable ancient towns were deprived of their unique character and significance; they were transformed into villages. On the other hand, processes of urban development initiated after WWII led to the creation of new towns and cities where pre-fabricate blocks of flats, chaos, ugliness and overall lack of distinct individuality tend to prevail. Nonetheless, Cracow, Toruń, Stary Sącz or Tykocin managed to preserve the spirit of townsman, architects and engineers of the past. This is where you can feel the heartbeat of every city representing the world in miniature – harmonious, familiar and human.

Die Religionsforscher sind der Meinung, dass jede neue menschliche Ansiedlung gewissermaßen die Welt widerspiegelt und der Bau jeder Stadt quasi die Schöpfung der Welt nachahmt. Deshalb auch besitzt jede Stadt ihre eigene Gestalt und planmäßige Anordnng. Das betrifft insbesondere alte Städte mit erhalten gebliebener historischer Gliederung. Im Mittelpunkt so einer Stadt befand sich meist die Kirche bzw. der Marktplatz und umgeben war sie von der Stadtmauer, die nicht nur zur Verteidigung da war, sondern ebenfalls symbolische Bedeutung hatte. Diese Ringmauer kapselte die Stadt von der Leere außerhalb, d.h. vom Chaos ab. Auch die zeitgenössischen Städte halten sich an diese Regel, obwohl sie meist mehrere Zentren besitzen, die von einem Kranz neuer Wohn- und Industrieviertel umgeben sind.

Das beste Beispiel einer historischen städtebaulichen Anlage ist die Krakauer Altstadt, die nach Magdeburger Recht entstand. Rings um den größten Marktplatz des mittelalterlichen Europas mit dem Rathaus und den Tuchhallen verlaufen heute die sog. *Planty*, ein breiter Grüngürtel, der an Stelle der ehemaligen Stadtmauer angelegt und vom Wawel-Schloss zusammengekoppelt wurde. Von dieser Stadtmauer sind nur noch Reste mit dem Florianstor und der Barbakane erhalten geblieben. In gewisser Entfernung von den *Planty* erstreckt sich der sog. zweite Ring, an dem sich gut erkennen lässt, wie sich die Stadt später rings um den mittelalterlichen Kern ausgebaut hat.

Der Krakauer Stadtteil Kazimierz war einst eine eigenständige Stadt und eines der größten Zentren der jüdischen Diaspora in Europa. Von ihren früheren Einwohnern zeugen viele interessante Bauwerke, Synagogen, Kirchen, malerische Gassen und Plätze. Der Stadtteil Nowa Huta dagegen ist ein typisches Beispiel des realen Sozialismus mit pompösen Monumentalbauten und einer originellen städtebaulichen Anlage nahe der Innenstadt.

Das historische Ensemble der Alt- und Neustadt von Toruń/Thorn ist ein hervorragendes Beispiel zweier vollkommen erhalten gebliebener (später zusammengeschlossener) mittelalterlicher Stadtanlagen. Auf Grund seiner brillanten Bauwerke wurde Toruń von der UNESCO zum Weltkulturerbe erklärt. Am wertvollsten sind der Altstädtische Marktplatz mit dem Denkmal und Geburtshaus von Nikolaus Kopernikus und gotischen Bürgerhäusern sowie die Stadtmauer am Weichselufer.

Der Lange Markt (Długi Targ) und die Langgasse (ulica Długa) bilden den Danziger Königsweg und damit das Herzstück der historischen Rechtstadt. Dort befinden sich auch das Rathaus, der Neptunbrunnen und der Artushof, die von der Macht und dem Reichtum der Danziger Patrizier zeugen. An die Vergangenheit der einstigen Hansestadt als Handelshafen erinnert das mächtige Krantor an der Mottlau.

Einer mittelalterlichen Stadtgliederung rühmt sich ebenfalls Sandomierz am hohen Weichselufer. Erhalten geblieben sind der Marktplatz, das Rathaus und die Stadtmauer, die romanische Kirche des hl. Jakob, das Haus von Jan Długosz, des Hofchronisten von König Kasimir IV. sowie ein ausgedehntes unterirdisches Kellersystem.

Die Stadt Łódź verfügt vornehmlich über Bauwerke, die aus ihrer industrielllen Blütezeit stammen und nennt die berühmte Piotrkowska-Straße, die längste Shoppingmeile Europas, ihr Eigen. In dieser Straße reihen sich Bürgerhäuser und andere Gebäude im klassizistischen und Jugendstil. Zu den wertvollsten Bauwerken gehören die Stadtpaläste der Fabrikanten Scheibler und Poznański. Ihr unverkennbares Flair und die originellen Bauwerke sind das Vermächtnis dreier Nationen, der polnischen, deutschen und jüdischen, die in Łódź einträchtig beisammen lebten.

Warschau, die Hauptstadt Polens, wurde im Zweiten Weltkrieg fast vollständig zerstört und bildet heute das Musterbeispiel einer wieder aufgebauten Stadt. Von Grund auf rekonstruiert ist der historische Stadtkern mit dem Schlossplatz, dem Königsschloss, der Sigismundsäule, der Alt- und Neustadt sowie zahlreiche Parks und Paläten. Den Kontrapunkt zur Warschauer Altstadt setzt das neue Stadtzentrum mit seinen modernistischen Hochhäusern im Stil des realen Sozialismus rings um den Kulturpalast.

Nach dem Krieg wurde ebenfalls die Breslauer Altstadt rekonstruiert. Das mittelalterliche Rathaus am Marktplatz gehört zu den prachtvollsten Profanbauten dieser Zeit in Europa.

Zamość nimmt auf der Landkarte Polens einen ganz besonderen Platz ein. Von Hetman Jan Zamoyski im Jahre 1580 gegründet, wurde die Stadt von Anfang an nach den Prinzipien der europäischen Renaissance erbaut. Innerhalb der Stadtmauer befinden sich der Hauptmarkt mit dem Rathaus, zwei kleinere Marktplätze, die Stiftskirche, ein russisch-orthodoxes Gotteshaus, das später von den Katholiken übernommen wurde und eine Synagoge. In Zamość, das durch drei Stadttore zugänglich war, befanden sich überdies das Schloss des Majoratsherren und die Zamojska-Akademie. Der Bauplan der Stadt wurde von dem italienischen Architekten Bernardo Morando entworfen.

In Polen fehlt es ebenfalls nicht an malerischen Kleinstädtchen mit harmonischer, oft sogar historischer, Bebauung. Das beste Beispiel dafür ist Kazimierz Dolny an der Weichsel. Gleich am Marktplatz erweckt eines der schönsten Renaissancebürgerhauser Polens die Aufmerksamkeit. Hervorragend erhalten sind die Reliefs an seiner Fassade und die wunderbare Attika. Augenmerk gebührt ferner der übrigen kleinstädtischen Bebauung, der Kirche des hl. Johannes des Täufers und des hl. Bartholomäus sowie der historischen Stadtanlage mit den Kornspeichern aus dem 16. und 17. Jh.

Ein weiteres Städtchen, das seine mittelalterliche Gliederung erhalten hat, ist Stary Sącz mit dem Klosterensemble der Klarissinnen, das im 13. Jh. von der späteren hl. Kunigunde gestiftet wurde. Den Marktpaltz säumen charakteristische Herrenhäuser.

Viele alte Städte haben inzwischen ihren Status eingebüßt und sich in Dörfer verwandelt. Aus der Notwendigkeit heraus entstanden nach dem Zweiten Weltkrieg ebenfalls viele neue Städte, die sich durch graue Wohnsiedlunegn im Großplattenbau, chaotische Bebauung und Geschmacklosigkeit charakterisieren. Aber in Krakau, Toruń, Stary Sącz und Tykocin ist der Geist der gutbürgerlichen Baukunst immerfort lebendig. Dort schlägt das Herz von Städten, die, wenn auch im Miniformat, die Welt bedeuten, dort gelten Raum und Harmonie, und dort ist der Mensch immer noch Mensch.

Kraków. Rynek Główny z Sukiennicami i gotyckim Kościółem Mariackim.
Cracow. Main Market Square with the Cloth Hall and the Gothic St. Mary's Church.
Krakau. Hauptmarkt mit den Tuchhallen und der gotischen Marienkirche

Kraków. Ozdobą placu Mariackiego jest studzienka z figurą żaka, będąca kopią jednej z rzeźb z ołtarza Mariackiego. →
Cracow. In St. Mary's Square one can discover a tiny well and a statue of a young student. The sculpture is a copy of that included in Veit Stoss's altar in St. Mary's Church.
Krakau. Den Blickfang des Marienplatzes bildet der Brunnen mit der Studenten-Skulptur, der Kopie einer der Gestalten des Marienaltars.

Zakopane. Najsłynniejszy polski deptak – ulica Krupówki.
Zakopane. Krupówki – Poland's most renowned pedestrian route.
Zakopane. Ulica Krupówki – die berühmteste Flanierstraße Polens

Kazimierz Dolny, malowniczo położony nad Wisłą. Widok z Góry Krzyżowej. →
Kazimierz Dolny, magnificent site on the banks of the Vistula River. Viewed from Krzyżowa Mountain.
Kazimierz Dolny liegt malerisch an der Weichsel. Blick vom Berg Krzyżowa

Zamość. Podcieniowe kamienice z 17. wieku na Rynku Wielkim nawiązujące do renesansowej architektury włoskiej. →→
Zamość. Arcades of 17th century houses in the Great Market Square remind of Italian architectural patterns of the Renaissance period.
Zamość. Die Laubenhäuser aus dem 17. Jh. am Großen Markt sind im Stil der italienischen Renaissance gehalten.

APTEKA
STOP

Wrocław. Gotycki ratusz z 14.-15. wieku z bogato dekorowanymi fasadami i 66-metrową wieżą.
Wrocław. Gothic City Hall from the 14th-15th century with its richly ornamented facades and a tower of rising 66 metres high.
Wrocław/Breslau. Gotisches Rathaus aus dem 14.-15. Jh. mit Prunkfassade und 66 m hohem Turm.

← Brzeg na Śląsku. Widok na miasto z wieży ratusza w stronę zamku i barokowego kościoła pw. Podwyższenia Krzyża Świętego.
Brzeg in Silesia. The panorama of the city as observed from the City Hall tower towards the castle and the Baroque Church of the Elevation of the Holy Cross.
Brzeg in Schlesien. Blick vom Rathausturm auf die Stadt, das Schloss und die Barockkirche der Kreuzerhöhung

Legnica. Ulica Najświętszej Marii Panny z widoczną w tle Bazyliką NMP z 14. wieku.
Legnica. The Blessed Virgin Mary Street. In the background – the 14th century Basilica of the Blessed Virgin Mary.
Legnica/Liegnitz. Die Straße Najświętszej Marii Panny mit der Marienbasilika aus dem 14. Jh. im Hintergrund

Szczecin – miasto nad Odrą. Bulwar Piastowski z widokiem na barkę rzeczną i most Długi. →
Szczecin – a town on the Oder River. The Piast Boulevard with a view to a river barge and the Long Bridge.
Szczecin/Stettin. Stadt an der Oder. Piastowski-Boulevard mit Blick auf eine Flussbarke und die Lange Brücke

Gdańsk, historyczne miasto portowe, jeden z najokazalszych zespołów zabytkowych w Polsce – Długi Targ z widokiem na ratusz. →→
Gdańsk, a seat to the ancient harbour and one of Poland's most exquisite group of historic monuments – the Long Market with the panorama of the City Hall.
Danzig. Historische Hansestadt sowie eines der prächtigsten Bauensembles in Polen. Langer Markt/Długi Targ mit dem Rathaus

DARIA
GORZÓW WLKP

Chojnice, miasto położone na skraju Borów Tucholskich. Rynek z neogotyckim ratuszem.
Chojnice, the city located at the outskirts of Bory Tucholskie (Tucholskie Primeval Forests). Market Square with Neo-Gothic city hall.
Chojnice. Stadt am Rande der Tucholer Heide. Marktplatz mit neugotischem Rathaus

Warszawa, Rynek Starego Miasta. Na ściętym narożniku kamienicy Simonettich umieszczony jest ozdobny zegar i tablica poświęcona odbudowie Rynku. →
Warsaw, Old Town Market Square. The bevelled corner of the Simonetti family house is adorned with decorative clock and a plate commemorating the Square's restoration.
Warschau. Altstädtischer Marktplatz. An der abgeflachten Ecke des Simonetti-Hauses befinden sich eine verzierte Uhr und eine Gedenktafel, die an den Wiederaufbau des Marktplatzes erinnert.

Probably the best beer
world
Carlsberg

Warszawa. Most Siekierkowski, oddany do użytku w 2003 roku.
Warsaw. The Siekierkowski Bridge was open to the public in 2003.
Warschau. Die Siekierkowski-Brücke wurde im Jahre 2003 dem Betrieb übergeben.

Warszawa. Widok na centrum miasta z mostu Siekierkowskiego. →
Warsaw. City centre as viewed from the Siekierkowski Bridge.
Warschau. Blick von der Siekierkowski-Brücke aufs Stadtzentrum

Łódź. Główna ulica miasta – Piotrkowska – ciągnie się 4 km, w znacznej części jest zamknięta dla ruchu samochodów.
Łódź. The city's main street – Piotrkowska. The artery is 4 km long, of which the majority is closed to vehicular traffic.
Łódź. Die Piotrkowska ist mit 4 km die längste Straße der Stadt und zum Großteil für den Autoverkehr gesperrt.

Iłża. Widok z ruin zamku biskupiego na miasto o średniowiecznym układzie urbanistycznym. →
Iłża. The panorama of the city perpetuating medieval architectural plans. Viewed from the bishop's castle.
Iłża. Blick von der Ruine des Bischofsschlosses auf die mittelalterliche Stadt

Gniezno. Katedra widziana od strony rynku w perspektywie ulicy Tumskiej.
Gniezno. The cathedral and Tumska Street admired from the Main Market Square.
Gniezno/Gnesen. Blick aus Richtung Markt auf die Kathedrale und die Tumska-Straße

Leszno. Mieszczańskie kamienice wznoszone przez 18. i 19. wiek. →
Leszno. Burghers' houses raised in the 18th and the 19th century.
Leszno. Bürgerhäuser aus dem 18. und 19. Jh.

Poznań. Ratusz, renesansowa Wielka Sień, z płaskorzeźbionym i polichromowanym stropem, zwana też Salą Odrodzenia. →→
Poznań. City Hall, the Renaissance Grand Vestibule with the polychromatic ceiling in low relief. The chamber is also known as the Renaissance Hall.
Poznań/Posen. Rathaus. Große Diehle (auch Renaissancesaal genannt) im Renaissancestil mit Polychromien und Basreliefs an der Decke

Triumph
ONYX
CYFRA +

HERCVLES

Zamki i pałace

Castles and palaces

Burgen und Schlösser

Bardzo charakterystycznym elementem polskiego krajobrazu są zamki i pałace. Początkowo były to budowle drewniane, które nie zachowały się do naszych czasów. Pierwsze murowane budowle obronne i mieszkalne zaczęły powstawać w 13. wieku, szczególnie w Małopolsce. Najwięcej znanych do dziś zamków średniowiecznych powstało w 14. stuleciu. Z tego okresu pochodzą zamki obronne nad Dunajcem – Niedzica i Czorsztyn, z którego zachowały się jedynie ruiny. Znaczne nagromadzenie średniowiecznych zamków obronnych stanowi granica Małopolski i Śląska, Wyżyna Krakowsko-Wieluńska. Za czasów Kazimierza Wielkiego wzniesiono tam kamienne zamki między innymi w Olsztynie, Ogrodzieńcu, Mirowie, Chęcinach i Bobolicach. Ich charakterystycznymi elementami są obronne mury i wieże. Z większości pozostały jedynie ruiny. Poza krakowskim Wawelem, jedynym zachowanym zamkiem tego rejonu jest Pieskowa Skała, przebudowana w późniejszym okresie w stylu renesansowym.

Drugą grupą budowli obronnych średniowiecza są zamki śląskie np. w Bolkowie czy Będzinie. Wspaniały zamek w Brzegu był przez lata rezydencją śląskich Piastów. Jednak największym zamkiem Śląska i trzecim co do wielkości w Polsce jest zamek Książ, pochodzący z 13. wieku, później przebudowany w stylu renesansowym i barokowym i z zamku obronnego przekształcony w magnacką rezydencję. Do znaczących zamków Śląska należą także obiekty w Głogowie, Oleśnicy, Otmuchowie, eklektyczny zamek w Mosznej i zamek Czocha w pobliżu Leśnej.

Na niżu polskim, Pomorzu i w Prusach, z braku kamienia, budulcem zamków była cegła. Największym kompleksem jest tam grupa warowni krzyżackich z najważniejszą twierdzą zbudowaną przez ten zakon – zamkiem w Malborku, największym zamkiem gotyckim w Europie. Inne ważne zamki krzyżackie to Chełmno, Kwidzyń, Lidzbark Warmiński, Frombork, Braniewo. Zamek w Kwidzynie połączony z katedrą stanowi jeden z najwspanialszych kompleksów obronnych późnego średniowiecza. W doskonałej formie przetrwał do dziś krzyżacki, a później polski zamek w Golubiu-Dobrzyniu. Ogromne wrażenie na zwiedzających robią ruiny zamku Krzyżtopór w kieleckiem. To jeden z największych zamków Europy, był własnością Ossolińskich, został zbudowany w pierwszej połowie 17. stulecia. Zgodnie z duchem czasu odzwierciedlał porządek czasu i kosmosu. Miał 365 okien, 52 pokoje, 12 sal i 4 wieże. Krzyżtopór przetrwał zaledwie 11 lat, a po potopie szwedzkim popadł w ruinę. Podobną „kosmiczną" strukturę miał także zamek w Kręgu koło Koszalina.

Osobno wymienić należy królewskie rezydencje. Zamek na Wawelu przez ponad 500 lat był główną siedzibą władców Polski. Zasadnicza gotycka budowla postawiona przez Kazimierza Wielkiego i rozbudowana przez Władysława Jagiełłę, została przebudowana przez Zygmunta Starego zgodnie z duchem renesansu. Wspaniałe położenie w centrum Krakowa, doskonałe zbiory z kolekcją arrasów na czele, nawarstwienie wielu stylów i epok powodują, że Wawel jest jednym z najpiękniejszych i najchętniej odwiedzanych zamków w Polsce. Z kolei Zamek Królewski w Warszawie był nie tylko rezydencją królewską od końca 16. wieku, ale także miejscem obrad sejmu I Rzeczpospolitej. Doszczętnie zniszczony podczas II wojny światowej został odbudowany w latach 70. 20. stulecia.

Królowie poza przebudową warszawskiego zamku stawiali też swoje podmiejskie rezydencje. Janowi III Sobieskiemu zawdzięczamy pałac w Wilanowie – perłę polskiego baroku ze wspaniałą galerią sztuki, dekoracją, wyposażeniem i ogrodem. Z kolei ostatni król Polski Stanisław August Poniatowski pozostawił po sobie letnią rezydencję Łazienki Królewskie, imponujący park z pięknym Pałacem na Wyspie.

Wspaniały zespół pałacowo-parkowy w Nieborowie koło Łowicza, rezydencja Radziwiłłów znany jest nie tylko z bogatych zbiorów sztuki, ale także słynnego ogrodu sentymentalnego – Arkadii. Zamek w Łańcucie swój obecny kształt zawdzięcza Lubomirskim, którzy w 18. stuleciu przebudowali go na pałacową rezydencję o klasycystycznym i rokokowym wystroju, z salą koncertową i własnym teatrem. Dziś cały kompleks zamieniono na muzeum, którego częścią jest największa w Polsce kolekcja powozów. Inną ważną rezydencją magnacką jest myśliwski pałac w Pszczynie na Śląsku, wielokrotnie przebudowywany, ostatnio w 19. wieku na wzór francuski. Pszczyńska rezydencja porównywana jest do najwspanialszych pałaców Europy. Zamek w Baranowie koło Sandomierza nazywany bywa „małym Wawelem" i jest przykładem pełnej realizacji późnorenesansowych koncepcji architektonicznych.

Kilka interesujących obiektów znajdziemy w Wielkopolsce. W Antoninie stoi drewniany pałac myśliwski z początku 19. wieku. W Gołuchowie zamek z 16. stulecia, przebudowany później w stylu renesansu położony w pięknym parku angielskim. Zespół pałacowo-parkowy w Kórniku był własnością Władysława Zamoyskiego. Rogalin słynie z rokokowo-klasycystycznego pałacu i słynnych starych dębów rosnących w pałacowym parku.

Z zamkami i pałacami ściśle wiążą się dzieje polskiego kolekcjonerstwa. Najstarsze kolekcje sztuki w Polsce to zbiory królewskie, w tym wspaniały zbiór arrasów Zygmunta Augusta prezentowany na Wawelu i w Muzeum Narodowym w Warszawie. Znaczące kolekcje stworzyli królowie z dynastii Wazów: Zygmunt III, Władysław IV i Jan Kazimierz. Ważne zbiory sztuki pozostawili także kanclerz Jerzy Ossoliński i król Jan III Sobieski. Okres rozbiorów znacznie przetrzebił polskie kolekcje sztuki i utrudniał powstawanie publicznych muzeów. Jednym z wyjątków było utworzenie Muzeum Sztuk Pięknych w Warszawie w 1862 roku, które zostało później przekształcone w Muzeum Narodowe w Warszawie. Ważnym ośrodkiem muzealnym od początku był Kraków ze zbiorami Polskiej Akademii Umiejętności i Uniwersytetu Jagiellońskiego. Liberalna polityka władz austriackich pozwoliła na utworzenie w 1879 roku Muzeum Narodowego w Krakowie. Ważne kolekcje sztuki powstawały także w Poznaniu, Toruniu i Lwowie. Duże znaczenie miały kolekcje prywatne: Działyńskich w Kórniku, Raczyńskich w Rogalinie, Czartoryskich w Gołuchowie, Zamoyskich w Zamościu i Krasińskich w Warszawie. Koniec 19. stulecia to początek rozwoju muzealnictwa regionalnego. Pierwszą tego typu placówką było Muzeum Tatrzańskie w Zakopanem założone w 1889 roku. Jedną z najlepszych kolekcji sztuki współczesnej zgromadziło Muzeum Sztuki Współczesnej w Łodzi.

Liczne polskie zamki, pałace i ruiny świadczą o potędze dawnej Rzeczpospolitej, różnorodności kulturowej i otwarciu na świat oraz bogactwie i wpływach ich dawnych właścicieli. Część powróciła do rąk spadkobierców, większość stanowi obiekty muzealne prezentujące bogate zbiory dawnej sztuki i rzemiosła. Na trwałe wpisały się w krajobraz polskich metropolii i prowincji.

← Kórnik – oryginalny zamek z 1426 roku, przebudowany w stylu gotyku angielskiego w 19. wieku.
Kórnik – orginal castle from 1426, reconstructed in the 19th century along the lines of the English Gothic style.
Kórnik. Das originelle Schloss aus dem Jahre 1426 wurde im 19. Jh. im Stil der englischen Gotik umgestaltet.

Castles and palaces are an architectural element typically appearing in the Polish landscape. Initially they were raised as wooden constructions; these, however, did not survive to our time. First stone fortifications and residential buildings emerged in the 13th century in Małopolska, but the majority of medieval castles known up to today came into being in the 14th century. This is when fortified strongholds on Dunajec river – Niedzica and Czorsztyn – where erected (the Czorsztyn castle is currently in ruins). An accumulation of fortifications is to be found along the borderline between Małopolska and Silesia, on Krakowsko-Wieluńska Upland. In the era of king Casimir the Great enormous stone strongholds were raised in the area, among others in the vicinity of Olsztyn, Ogrodzieniec, Mirów, Chęciny and Bobolice. Fortified walls and towers were typical of these constructions. Regrettably, most of them survived only in ruins. With the exception of the Wawel castle, the sole preserved fortification of the region is Pieskowa Skała, reconstructed in the Renaissance period.

The Silesian castles, e. g. in Bolkowo or Będzin, constitute a separate group of medieval strongholds. The magnificent fortress in Brzeg for years served as a seat to Silesian branch of the Piast dynasty. However, the largest stronghold of Silesia, and third in size among all Polish castles, is the Książ Castle, stemming from the 13th century, but rebuilt in Renaissance and Baroque stylistics, it was transformed from a fort into nobility residence. Other significant fortresses of Silesia include the strongholds in Głogów, Oleśnica, Otmuchów, an eclectic castle of Moszna and the castle of Czoch in the Leśna vicinity.

Within the area of Polish lowlands, Pommerania and Prussia bricks were the staple building material. The main stronghold of the region is undoubtedly a complex of forts erected by the Teutonic Knights and including the prime edifice raised by the Order – the Malbork castle: Europe's largest Gothic fortress. Other significant defensive structures built by the Teutonic Order include Chełmno, Kwidzyń, Lidzbark Warmiński, Frombork and Braniewo. The Kwidzyn castle combined with a cathedral is deemed to be one of the most magnificent fortified units of late Middle Ages. The Teutonic, later Polish, castle in Golub-Dobrzyń has been preserved in excellent condition. Dilapidated ruins of Krzyżtopór stronghold in Kieleckie region still impress its visitors. Erected in the early 17th century the castle is one of the biggest in Europe, it used to be owned by the noble family of Ossolińscy. In the spirit of the epoch the building reflected the ordering of time and of the Universe. It had 365 windows, 52 chambers, 12 halls and 4 towers. Krzyżtopór survived a mere 11 years, it became dilapidated after the Swedish Deluge. The castle in Krąg near Koszalin shared the same "cosmic" pattern.

Royal residences deserve a separate portrayal. The Wawel Castle for over 500 years was home to Polish sovereigns. Its main Gothic edifice was erected by Casimir the Great, extended by Władysław Jagiełło and redecorated during the reign of Sigismund the Elder in accordance with the Renaissance spirit. A wonderful location in the centre of Cracow, splendid collection of Arras tapestries, an accumulation of styles and epochs make Wawel one of the most beautiful and most frequently visited castles in Poland. The Warsaw's Royal Castle, on the other hand, was not only sovereigns' residence (from the beginning of the 16th century) but it also hosted parliamentary debates of the 1st Republic's Diet. Demolished in WWII the castle was rebuilt in the 70's of the 20th century.

Apart from redecorating the Warsaw Castle, the rulers also liked to raise their private suburban residences. Jan III Sobieski gave Warsaw a manor house in Wilanów – the jewel of Polish Baroque architecture with tremendous art gallery, wonderful ornaments, fittings and gardens. The last of Polish rulers – Stanislaus Augustus Poniatowski – left us with his summer palace in Łazienki Królewskie (the Royal Łazienki Park), an impressive park with the Palace on the Isle.

Nieborów near Łowicz is a location of a magnificent complex of palaces and parks, erected by the Radziwiłł family, famous for its rich art collection and a rustic garden – the Arcadia. The castle of Łańcut, on the other hand, owes its current shape to the family of Lubomirscy, who reconstructed the building in the 18th century into a palace of Classicist and Rococo design, fitted with a concert hall and a theatre. Today the complex serves as a museum exhibiting, among others, the biggest collection of carriages in Poland. Another prominent nobility residence is the frequently reconstructed hunting mansion in Pszczyna (Silesia); its last redecoration in the 19th century followed French architectural patterns. The mansion in Pszczyna can be compared with the most renowned European palaces. The castle in Baranów near Sandomierz is sometimes referred to as "little Wawel" since it exemplifies architectural ideas of the late Renaissance in its full bloom.

Wielkopolska also offers several absorbing buildings. The wooden hunting mansion in Antonin raised in the early 19th century; castle in Gołuchów, erected in the 16th century, later reconstructed in Renaissance style and surrounded with an English park. The palace and park of Kórnik were possessions of Władysław Zamoyski. Rogalin is famous for its mansion, representing a mixture of Rococo and Classicist styles, and its ancient oaks growing in the park.

Castles and palaces are tightly bound up with the tradition of Polish collectorship. Poland's oldest art assemblies are the royal collections, including the magnificent set of Arras tapestries compiled by king Sigismund Augustus, exhibited on the Wawel castle and in the Warsaw National Museum. Rulers of the Vasa dynasty were equally keen collectors, especially Sigismund III, Władysław IV and John Casimir. Similarly, chancellor Jerzy Ossoliński and king Jan III Sobieski shared the collecting passion. Polish art assemblies were decimated during the partitions period. Establishing public museums was hardly possible at that time, one of few exceptions to this rule was the Museum of Fine Arts founded in Warsaw in 1862 and later transformed into the National Museum. Cracow, with precious assemblies gathered in the Polish Academy of Skills and the Jagiellonian University, has always been considered important for Polish collectorship. Liberal policy of the Austrian partition authorities made it possible to found the Cracow National Museum in 1879. Poznań, Toruń and Lwów hosted prominent art collections as well. Private assemblies compiled by the families of Działyńscy in Kórnik, Raczyńscy in Rogalin, Czartoryscy in Gołuchów, Zamoyscy in Zamość and Krasińscy in Warsaw also deserve art-lovers' attention. Late 19th century witnessed the beginnings of regional museums. The Tatra Museum in Zakopane founded in 1889 was the first establishment of this kind. The Contemporary Art Museum in Łódź managed to compile one of the finest collections of modern art in Poland.

Innumerable Polish castles, palaces and ruins are a testimony to Poland's past glory and might. They are monuments of its cultural diversity, openness to the world, wealth and influence of their former proprietors. Some of the buildings were returned to their lawful heirs, the majority were transformed into museums exhibiting rich collections of past art and craft. They are an indispensable element of Polish landscape, both urban and rural.

Die Burgen und Schlösser bilden einen festen Bestandteil der polnischen Landschaft. Anfangs waren das nur Holzbauten, die nicht bis in unsere Zeit überdauerten. Die ersten gemauerten Verteidigungs- und Wohnbauten entstanden im 13. Jh., vorzugsweise in Kleinpolen, aber die bis heute bekannten mittelalterlichen Burgen datieren ins 14. Jh. Aus dieser Zeit stammen die Burgen in Niedzica und Czorsztyn am Fluss Dunajec, von denen heute nur noch die Ruinen vorhanden sind. Eine wahre Anhäufung mittelalterlicher Burgen findet man an der Grenze zwischen Kleinpolen und Schlesien in der Krakau-Wieluń-Hochebene. In der Zeit von Kasimir dem Großen errichtete man u.a. in Olsztyn/Allenstein, Ogrodzieniec, Mirów, Chęciny und Bobolice mächtige Steinburgen mit Verteidigungsmauer und Bergfried. Heute sind davon meist nur Reste zu finden. Außer dem Krakauer Wawel besteht in dieser Region lediglich die Burg Pieskowa Skała, die später im Renaissancestil umgebaut wurde.

Die zweite Gruppe mittelalterlicher Wehrbauten bilden die schlesischen Burgen wie z.B. die Bolkenburg in Bolków und die Burg in Będzin. In dem wundervollen Schloss zu Brzeg/Brieg residierten jahrelang die schlesischen Piasten. Jedoch das mächtigste Schloss Schlesiens und das drittgrößte in Polen ist Schloss Książ/Fürstenstein. Sein Urbau stammt aus dem 13. Jh., aber später wurde es im Renaissance- und Barockstil ausgebaut und verwandelte sich aus einer Burg in eine prächtige Adelsresidenz. Weitere bedeutende schlesische Schlösser befinden sich in Głogów/Glogau, Oleśnica/Oels, Otmuchów/Ottmachau, Moszna/Moschen (eklektisches Schloss) und bei Leśna/Marklissa (Schloss Czocha).

Im polnischen Tiefland, also in Pommern und Preußen, wurden mangels Feldsteinen, als Baumaterial Ziegelsteine benutzt. Von den Burgen dieser Regionen sind vor allem die Backsteinbauten des Deutschen Ordens zu nennen, von denen die Marienburg in Malbork, das mächtigste gotische Bauensemble dieser Art in Europa darstellt. Weiterer beeindruckender Deutschordensburgen rühmen sich Chełmno/Culm, Kwidzyn/Marienwerder, Lidzbark Warmiński/Heilsberg, Frombork/Frauenburg und Braniewo/Braunsberg. Die mit dem Dom verbundene Ordensburg in Marienwerder gehört zu den vortrefflichsten Burganlagen des späten Mittelalters. In ausgezeichnetem Zustand ist die Burg in Golub Dobrzyń/Gollub erhalten, die anfangs den Deutschordensrittern und später Polen gehörte. Unwahrscheinlichen Eindruck erweckt die Schlossruine Krzyżtopór im Dorf Ujazd in der Region Kielce. Das Schloss wurde in der ersten Hälfte des 17. Jh. für die Ossolińskis erbaut und gehörte zu den größten Europas. Gemäß der damaligen Mode spiegelte das Bauwerk die Ordnung von Zeit und Raum wider. Es hatte also 356 Fenster, 52 Zimmer, 12 Säle und 4 Türme. An diesem Prachtbau erfreuten sich die Eigentümer aber kaum 11 Jahre. Im I. Nordischen Krieg wurde das Schloss zerstört und verfiel danach vollkommen. In ähnlich „kosmischem" Stil ist Schloss Krangen in Krąg bei Koszalin/Köslin gebaut.

Den königlichen Residenzen Polens gebührt ein Sonderplatz unter den Prunkbauten. Das Königsschloss auf dem Wawel in Krakau war über 500 Jahre lang Sitz der polnischen Herrscher. Das ursprünglich gotische Bauwerk ließ König Kasimir der Große errichten. Später wurde es von Wladislaw Jagiełło vergrößert und von Sigismund dem Alten im Renaissancestil umgebaut. Seine wunderschöne Lage im Herzen der Altstadt, die wertvollen Kunstsammlungen mit der berühmten flämischen Bildteppichkollektion und nicht zuletzt die deutlichen Einflüsse vieler Baustile und Epochen bewirken, dass der Wawel das schönste und meistbesuchte aller polnischen Schlösser ist. Das Warschauer Königsschloss hingegen war seit Ende des 16. Jh. nicht nur königliche Residenz, sondern ebenfalls Tagungsort des Sejms der 1. Republik Polen. Im 2. Weltkrieg vollkommen zerstört, wurde das Schloss in den 70er Jahren des 20. Jh. originalgetreu wieder aufgebaut.

Aber auch damals wollten die gekrönten Häupter nicht das ganze Jahr über in ihren Stadtresidenzen verbringen, und deshalb ließen sie sich ebenfalls prachtvolle Sommersitze im Grünen errichten. Jan III. Sobieski verdanken wir das Schloss Wilanów, die Perle des polnischen Barocks mit einer interessanten Kunstgalerie, stilvoller Ausstattung und schönem Garten. Der letzte polnische König Stanislaus II. August hinterließ den Nachkommen das Schlossensemble Łazienki mit imposantem Park und malerischem Wasserschlösschen.

Eine herrliche Schlossanlage befindet sich ebenfalls in Nieborów bei Łowicz. Diese ehemalige Residenz des Adelsgeschlechts Radziwiłł nennt nicht nur eine reiche Kunstsammlung, sondern ebenfalls den berühmten griechischen Garten „Arkadia" ihr Eigen. Das Schloss in Łańcut verdankt seine heutige Gestalt den Lubomirskis, die das Bauwerk im 16. Jh. zu einer Schlossresidenz im klassizistischen und Rokokostil mit Konzertsaal und eigenem Theater umgestalten ließen. Heute ist die Anlage Museum und rühmt sich einer der größten Kutschensammlungen in Polen. Die nächste bemerkenswerte Adelsresidenz ist das Jagdschlösschen im schlesischen Pszczyna/Pless, das viele Male umgebaut wurde, zuletzt im 19. Jh. im französischen Stil. Die Residenz Pless zählt zu den prächtigsten Besitztümern Europas. Das Schloss in Baranów Sandomierski wird auch „kleiner Wawel" genannt und gilt als Beispiel der vollendeten Spätrenaissance.

Mit mehreren interessanten Bauwerken wartet ebenfalls Großpolen auf. In Antonin steht ein hölzernes Jagdschlösschen aus dem 19. Jh. In Gołuchów ist das Schloss aus dem 16. Jh. sehenswert, das später im Renaissancestil umgebaut wurde und in einem schönen englischen Garten gelegen ist. Das Schloss-Park-Ensemble in Kórnik war Eigentum von Władysław Zamoyski. Rogalin ist durch das Schloss im Stil des Rokoko und Klassizismus sowie durch die prachtvollen Eichen im Schlosspark berühmt geworden.

Die Geschichte der polnischen Kunstsammlungen ist fest mit den Burgen und Schlössern verknüpft, denn solche kostspieligen Liebhabereien konnten sich nur betuchte Herrscher leisten. Zu den wertvollsten Sammlungen gehören die kostbaren flämischen Bildteppiche von König Sigismund August, die sowohl im Wawelschloss als auch im Warschauer Nationalmuseum zu besichtigen sind. Exzellente Kunstsammler waren ebenfalls die Könige aus der Wasa-Dynastie: Sigismund III., Wladislaw IV. und Jan Kasimir. Wertvolle Sammlungen hinterließen ferner der Kanzler Jerzy Ossoliński und König Jan III. Sobieski. In der Zeit der Zerstückelung Polens (1772-1918) wurden die Kunstsammlungen stark dezimiert und die Entstehung von Museen erschwert. Eine der wenigen Ausnahme war das 1862 gegründete Museum der bildenden Kunst in Warschau, das später zum Warschauer Nationalmuseum heranwuchs. Ein wichtiges museales Zentrum bildete von Anfang an Krakau mit den Sammlungen der Akademie der Künste und der Jagiellonischen Universität. Die verhältnismäßig liberale Politik der österreichischen Besatzer ermöglichte 1879 die Gründung des Krakauer Nationalmuseums. Beachtliche Kunstsammlungen entstanden ebenfalls in Posen, Thorn und Lemberg. Von großer Bedeutung waren ebenso die vielen privaten Sammlungen, wie die der Familie Działyński in Kórnik, der Raczyńskis in Rogalin, der Czartoryskis in Gołuchów, der Zamoyskis in Zamość und der Krasińskis in Warschau. Gegen Ende des 19. Jh. entstanden die ersten Heimatmuseen. Den Anfang machte 1889 das Tatra-Museum in Zakopane. Eine der besten zeitgenössischen Sammlungen besitzt hingegen das Museum der Modernen Kunst in Łódź.

Die prächtigen Burgen, Schlösser und sogar Ruinen überall im Lande zeugen von der Macht der alten polnischen Adelsrepublik, vom Einfluss vielfältiger Kulturen sowie der Weltoffenheit und dem Wohlstand ihrer damaligen Eigentümer. Ein Teil dieser Bauwerke ging an die Erben der früheren Besitzer zurück, aber die meisten wurden zu Museen adaptiert und präentieren reiche Kunst- und Handwerkssammlungen. Heute prägen sie das Antlitz der Städte und Dörfer und sind ein fester Bestandteil des polnischen Kulturerbes.

Niedzica. Gotycko-renesansowy zamek obronny położony nad sztucznym jeziorem Czorsztyńskim.
Niedzica. Fortified castle of mixed Gothic and Renaissance styles overlooks the artificial lake of Czorsztyn.
Niedzica. Burg im Stil der Gotik und Renaissance am Czorsztyńskie-Stausee

Kraków, Wawel – dziedziniec zamkowy z renesansowymi krużgankami arkadowymi. →
Cracow, the Wawel Castle – courtyard with arcade cloisters in Renaissance style.
Krakau. Wawelschloss – Arkadenhof im Renaissancestil

Łańcut – zamek w stylu neobaroku francuskiego, elewacja frontowa skrzydła zachodniego. →→
Łańcut – the castle follows the principles of French Neo-Baroque architecture. Facade of the western wing.
Łańcut. Schloss im Stil des französischen Neubarock. Schauseite des Westflügels

Ujazd – pozostałości manierystycznego zamku Krzyżtopór.
Ujazd – remnants of the Krzyżtopór castle following the Mannerist style.
Ujazd. Ruine des manieristischen Schlosses Krzyżtopór

Ogrodzieniec. Malownicze ruiny późnogotycko-renesansowego zamku na Górze Janowskiego. →
Ogrodzieniec. Picturesque ruins of the Late-Gothic/Renaissance castle on Janowskiego Mountain.
Ogrodzieniec. Malerische Schlossruine im Stil der Spätgotik und Renaissance auf dem Berg Góra Janowskiego

Pszczyna. Pałac barokowy, przebudowany w końcu 19. wieku. Sala Lustrzana z dwoma zwierciadłami o powierzchni 14m² każde. →→
Pszczyna. Baroque manor house rebuilt in the late 19th century. The Mirror Hall is fitted with two enormous mirrors; the surface of each of them amounts to 14 sq. meters.
Pszczyna/Pless. Das barocke Schloss Pless wurde im 19. Jh. umgebaut. Der Spiegelsaal verdankt seinen Namen den zwei je 14 m² großen Spiegeln.

PETROF

Moszna koło Opola. Dziedziniec eklektycznego zamku z końca 19. wieku.
Moszna near Opole. Courtyard of an eclectic castle erected in the late 19th century.
Moszna bei Opole/Oppeln. Hof des eklektischen Schlosses aus dem Ende des 19. Jh.

Książ. Fragment renesansowej elewacji południowej zamku nad Tarasem Kasztanowym. →
Książ. Elements of the Renaissance southern facade of the castle, above the Chestnut Terrace.
Książ. Schloss Fürstenstein – Teilansicht der Renaissance-Südfassade über der Kastanienterrasse

Zagórze Śląskie. Fragment dekoracji sgraffitowej budynku bramnego zamku Grodno.
Zagórze Śląskie. A piece of scratch-work ornaments of the gateway building in the Grodno castle.
Zagórze Śląskie. Fragment der Sgraffito-Dekoration am Torhaus von Schloss Grodno

← Sucha. Pierwotnie gotycki, wielokrotnie przebudowywany zamek Czocha – dawna siedziba książąt świdnickich.
Sucha. Originally Gothic, but frequently reconstructed, castle of Czoch – former seat of the Dukes of Świdnica.
Sucha. Die ursprünglich gotische und später mehrmals umgebaute Burg Tzschocha war Residenz der Schweidnitzer Fürsten.

Szczecin. Zamek Książąt Pomorskich, ściany zwieńczone renesansową attyką i wysunięta z lica Wieża Zegarowa. →→
Szczecin. The Castle of Pomeranian Dukes. Its walls are topped with Renaissance attic and the Clock Tower protruding from the wall face.
Szczecin/Stettin. Schloss der Pommerschen Fürsten mit vorgeschobenem Uhrturm. Die Außenwände krönen Renaissanceattiken.

Lidzbark Warmiński, gotycki zamek wzniesiony na planie kwadratu, z dziedzińcem i czterema narożnymi wieżami.
Lidzbark Warmiński, square Gothic castle with a courtyard and four corner towers.
Lidzbark Warmiński. Gotisches Schloss mit quadratischem Innenhof und vier Ecktürmen

Malbork. Zamek wznoszony w 13.-15. wieku, jeden z najwybitniejszych zabytków warownego budownictwa średniowiecznego. →
Malbork. The castle was erected between the 13th and the 15th century. It is perceived to be one of the most exquisite examples of medieval stronghold architecture.
Malbork. Die Marienburg wurde im 13.-15. Jh. errichtet und gehört zu den vortrefflichsten Wehrbauten des Mittelalters.

"RYWAL"
im.
Kawalerii

Białystok. Reprezentacyjne schody w barokowym pałacu Branickich zwanym „Wersalem Podlasia".
Białystok. Graceful staircase in the Baroque mansion of the Branicki family. The palace was known as the "Versaille of Podlasie".
Białystok. Prunktreppe des Barockschlosses der Branickis, auch „Versailles von Podlasie" genannt

← Golub-Dobrzyń. Corocznie organizowane turnieje rycerskie przed gotyckim zamkiem z 14.-15. wieku.
Golub-Dobrzyń. This Gothic castle from the turn of the 15th century annually hosts a knightly tournament.
Golub-Dobrzyń. Auf dem Vorhof der gotischen Burg aus dem 14.-15. Jh. werden alljährlich Ritterturniere ausgetragen.

Warszawa. Rzeźba bogini Wenus wychodzącej z kąpieli w pokoju Kąpielowym Pałacu na Wyspie.
Warsaw. The sculpture of the goddess Venus emerging from the bath. The Bathing Chamber of the Palace on the Isle.
Warschau. Die aus dem Bad steigende Venus, eine Skulptur im Badezimmer des Wasserschlösschens

Warszawa, Plac Zamkowy. Skromna, zachodnia fasada Zamku Królewskiego z usytuowaną na osi Wieżą Zygmuntowską z zegarem. →
Warsaw, the Castle Square. Unpretentious western facade of the Royal Castle with the Sigismund Tower and the clock on the axis.
Warschau. Schlossplatz. Schlichte Westfassade des Königsschlosses mit dem Sigismund-Uhrturm in der Mitte

Pułtusk. Dawny zamek biskupów płockich, obecnie Dom Polonii.
Pułtusk. Former castle of the bishops of Płock, currently the Polonia House.
Pułtusk. Ehemaliges Bischofsschloss, heute Haus der Auslandspolen (Dom Polonii)

Nieborów. Pałac Radziwiłłów, 17-wieczny globus wenecki w bibliotece, w tle 18-wieczna klatka schodowa wyłożona holenderskimi płytkami ceramicznymi. →
Nieborów. The Radziwiłł family palace, 17th century Venetian globe in the library, in the background 18th century staircase paved with Dutch ceramic tiles.
Nieborów. Radziwiłł-Palast. Bibliothek mit venezianischem Globus aus dem 17. Jh. Im Hintergrund das Treppenhaus aus dem 18. Jh. ausgelegt mit Delfter Fayencen

Łódź. Neobarokowy pałac przemysłowca Izraela Poznańskiego z przełomu 19. i 20. wieku – fasada ogrodowa. →→
Łódź. Neo-Baroque mansion of industrial tycoon Izrael Poznański. The edifice was erected at the turn of the 20th century – garden facade.
Łódź. Neubarocker Stadtpalast des Industriellen Izrael Poznański aus der Wende des 19. zum 20. Jh. – Gartenfassade

Śmiełów. Pałac, Salon Błękitny z freskami malowanymi przez braci Smuglewiczów.
Śmiełów. The palace, the Azure Room with frescos by Smuglewicz brothers.
Śmiełów. Schloss. Blauer Salon mit Fresken der Gebrüder Smuglewicz

Rogalin. Rokokowo-klasycystyczny pałac Raczyńskich z 18. wieku od strony parku francuskiego. →
Rogalin. The 18th century mansion of the Raczyński family modelled upon the Rococo and Classicism patterns, viewed from the French garden.
Rogalin. Schloss (18. Jh.) der Familie Raczyński im Stil des Rokoko und Klassizismus – vom französischen Garten aus gesehen

Antonin. Drewniany, 19-wieczny pałac myśliwski w rozległym parku z wiekowymi dębami. →→
Antonin. Wooden 19th century hunting mansion surrounded by spacious park with ancient oak trees.
Antonin. Jagdschlösschen aus Holz (19. Jh.) im ausgedehnten Park mit uralten Eichen

Koło. Ruiny gotyckiego zamku zbudowanego w 14. wieku.
Koło. Dilapidated ruins of the 14th century Gothic castle.
Koło. Ruine einer gotischen Burg aus dem 14. Jh.

Gołuchów. Park Zamkowy: w części górnej zamek z 16.-19. wieku, w części dolnej – 19-wieczna oficyna. →
Gołuchów. The Castle Park: in the upper part 16th-19th century castle, in the lower part – 19th century outbuilding.
Gołuchów. Schlosspark: oben das Schloss aus dem 16.-19. Jh., unten Hintergebäude aus dem 19. Jh.

IV

Kościoły

Churches

Kirchen

Świątynia w kulturze zawsze oznaczała i symbolizowała centrum świata – tego najbliższego, centrum wioski lub miasta, uświęcała przestrzeń, stanowiła punkt orientacyjny i porządkujący przestrzeń w sensie urbanistycznym, ale także symbolicznym i duchowym. Stanowiła axis mundi – oś świata, miejsce gdzie niebo styka się z ziemią. Stąd dominująca rola kościołów zarówno w krajobrazie jak i w dziedzictwie kulturowym kraju.

Opis licznych polskich kościołów zacząć wypada od najważniejszej świątyni Rzeczpospolitej – Katedry na Wawelu. Dzieje katedry ściśle wiążą się z historią zamku i Polski. Po dwóch kościołach romańskich pozostało niewiele śladów. Na ich gruzach w 14. wieku powstała obecna świątynia z czasem obrastając kaplicami, z których najsłynniejsza jest Zygmuntowska, uważana za wybitne dzieło polskiego renesansu. W katedrze spoczywają prochy polskich królów, przywódców politycznych i narodowych wieszczów.

Drugą ważną świątynią Krakowa jest Kościół Mariacki przy Rynku Głównym. Zbudowany na przełomie 13. i 14. wieku stanowi serce starego Krakowa. Zdobi go słynny gotycki ołtarz Wita Stwosza, a z wieży kościoła co godzinę rozlega się już od ponad 600 lat hejnał mariacki. Panorama Krakowa jest pełna kościelnych wież i zachwyca różnorodnością architektonicznych stylów. Od romańskich elementów w kościołach św. Idziego i św. Wojciecha, przez klasyczne gotyckie bazyliki Dominikanów i Franciszkanów, po barokowe kościoły św. Anny i św.św. Piotra i Pawła.

Szczególne dla Polski znaczenie ma częstochowska Jasna Góra. Bazylika z kaplicą Matki Boskiej Częstochowskiej i klasztor paulinów są jednym z najczęściej odwiedzanych miejsc w Polsce, celem licznych pielgrzymek. To tu znajduje się cudami słynący wizerunek Czarnej Madonny. Jasna Góra jako jedyna oparła się potopowi szwedzkiemu, co dodatkowo wzmocniło jej znaczenie jako duchowej stolicy Polski.

Gnieźnieńska archikatedra na Wzgórzu Lecha jest kolebką polskiego kościoła katolickiego. Tu spoczywają szczątki męczennika i patrona kraju św. Wojciecha, tu koronowano pierwszego króla Polski Bolesława Chrobrego, a romańskie drzwi z brązu są jednym z najcenniejszych zabytków sztuki wczesnego średniowiecza w Polsce. W Poznaniu na Ostrowie Tumskim stoi bazylika archikatedralna, siedziba pierwszego biskupstwa na ziemiach polskich z mauzoleum pierwszych władców kraju Mieszka I i Bolesława Chrobrego. W Strzelnie nieopodal Gniezna zachował się romański kościół św. Prokopa i romańskie kolumny w barokowym kościele Świętej Trójcy. Są to jedne z najstarszych obiektów sakralnych w Polsce, o założeniach pochodzących z 12. wieku.

Kościół Mariacki w Gdańsku to chluba miasta i dowód potęgi gdańskiego mieszczaństwa. Uwagę przyciągają w nim gotycki ołtarz główny, kaplica św. Anny z figurą Pięknej Madonny i kopia obrazu Hansa Memlinga Sąd Ostateczny. Ponadto na Pomorzu godne wspomnienia są gotycka konkatedra w Kołobrzegu, katedry w Kwidzynie, Fromborku i Pelplinie oraz neogotycka katedra we Włocławku.

Warto także wspomnieć o współczesnych kościołach – nowoczesnych, modernistycznych świątyniach Nowej Huty z Arką i kościołem w Mistrzejowicach na czele. Niestety, wiele z współczesnych świątyń nie grzeszy szczególną urodą i trudno zaliczyć je do pereł polskiej architektury. Największą, współczesną świątynią w Polsce jest nowa bazylika w Licheniu.

Poza imponującymi świątyniami z cegły i kamienia zachowały się w Polsce pełne uroku drewniane, wiejskie kościółki. Na Podtatrzu stoi kilka gotyckich kościołów drewnianych, wśród których szczególną wartość ma kościół św. Michała Archanioła w Dębnie koło Nowego Targu z cenną i piękną polichromią z 15. wieku oraz oryginalnym, regionalnym wystrojem. W kościołach w Orawce na Orawie i w Trybszu na Spiszu także podziwiać można bogatą i ciekawą polichromię. W Zakopanem obok prostego, wiejskiego Starego Kościółka przy ulicy Kościeliskiej, znajdziemy także zaprojektowaną przez Stanisława Witkiewicza w stylu zakopiańskim kaplicę w Jaszczurówce. W starym rabczańskim kościółku urządzono regionalne muzeum. A w Karpaczu stoi oryginalny, drewniany kościół Wang z 13. wieku, przeniesiony tu z Norwegii.

Liczne świątynie innych obrządków i wyznań świadczą o istnieniu we współczesnej Polsce mniejszości wyznaniowych i stanowią dziedzictwo religijnej różnorodności Rzeczpospolitej Obojga Narodów i Drugiej Rzeczpospolitej. Przez długie wieki była Polska tyglem etnicznym i religijnym, krajem tolerancji i rozwoju rozmaitych tradycji kulturowych i wyznaniowych. Na białostocczyźnie w Kruszynianach i Bohonikach znajdują się stare tatarskie meczety. Wschód i południe Polski to tereny licznie zamieszkałe przez prawosławnych i grekokatolików. Znajdziemy tu liczne cerkwie z najsłynniejszą świątynią prawosławną w Polsce na świętej górze Grabarce. W wielkich miastach i małych miasteczkach napotkać można dawne synagogi. Na krakowskim Kazimierzu jest ich siedem, wśród nich Stara Synagoga mieszcząca Muzeum Kultury Żydowskiej. Na Śląsku, w Wielkopolsce, na Warmii i Mazurach spotkać można protestanckie zbory. Także na Mazurach nieliczne molenny – świątynie staroobrzędowców.

Kościół, synagoga, cerkiew zawsze stanowiły centrum lokalnego świata – miasta, wsi czy miasteczka. W nich i wokół nich toczyło się życie. Toczy się nadal, choć wiele z nich stanowi już tylko reminiscencję dawnej świetności i kulturowego znaczenia.

← Trybsz na Spiszu. 16-wieczny drewniany kościół z barokowymi polichromiami z 1674 roku.
Trybsz in Spis region. The 16th century wooden church with Baroque-style wall-painting. Erected in 1674.
Trybsz in Zips. Holzkirche aus dem 16. Jh. mit barocker Polychromie von 1674

Cultural purpose of temples has always been associated with symbolising the centre of the world – understood as the micro-world of the village or town. Temples sanctified space, served as a landmark and organised all things in an architectural, symbolic and spiritual sense. They served as axis mundi – the axis of the world where heaven meets earth. This cultural role of churches gave birth to their dominance both in the Polish landscape and in Poland's cultural heritage.

Initiating the portrayal of innumerable Polish churches with a description of any other temple than the Wawel Cathedral would be unseemly. There is a powerful bond between the history of this Cathedral and the past of both the castle and Poland. Two Romanesque churches originally existing on the Wawel hill vanished completely. In the 14th century current building of the Cathedral was raised on their ruins. Gradually it became encircled with multitudinous chapels, including the masterpiece of Polish Renaissance – the Sigismund Chapel. It is a burial place of Polish sovereigns, political leaders and greatest national poets.

Another of Cracow's prominent temples – St. Mary's Church on the Main Market Square – was raised at the turn of the 14th century. It is commonly deemed to be the very heart of old Cracow. The temple is adorned with the renowned Gothic altar by Veit Stoss and from its tower an hourly bugle-call has been played daily for over 600 years. The old Cracow's panorama is a magnificent skyline of church towers enthralling with multitudinous architectural styles. From Romanesque elements in St. Isidore's and St. Wojciech's churches, through classical Gothic basilicas of Franciscan and Dominican Friars, to Baroque buildings of St. Ann's and St. Peter and Paul's.

The Monastery of Jasna Góra is particularly cherished by Polish Catholics. The basilica with a Chapel of Mother of God of Częstochowa and the Paulites' Monastery are one the most frequently visited sites in Poland and the destination of innumerable pilgrimages. It is here that the Sacred Likeness of Black Madonna is exhibited. Jasna Góra was the sole speck of Poland that did not surrender to Swedish Deluge of the 17th century, which in itself intensified its exceptional meaning of a spiritual capital of Poland.

The Archsee of Gniezno towering on the Lech's Hill is a cradle of Polish Catholic Church. It is here that St. Wojciech (Adalbert) – martyr and the patron of Poland – was buried and first Polish sovereign – Bolesław Chrobry (Boleslaus the Brave) – was crowned. The Romanesque gateway to the temple is an invaluable monument of Polish early medieval art. In Poznań, on Ostrów Tumski, stands the Archsee Basilica, a seat of first Polish bishopric and a mausoleum of first Polish rulers – Mieszko I and Bolesław Chrobry. Romanesque church of St. Prokop and Romanesque pillars in the Baroque temple of the Holy Trinity, that survived in Strzelno near Gniezno, are among the oldest sacral buildings of Poland, raised along 12th century blueprints.

St. Mary's Church in Gdańsk is a pride and joy of the city and a proof of Gdańsk burghers' immense wealth. Gothic altar, St. Ann's Chapel with a statue Beautiful Madonna and a copy of Hans Memling's Last Judgement all deserve curious attention of the visitors. Pomerania also offers a Gothic Con-Cathedral in Kołobrzeg, cathedrals in Kwidzyn, Frombork and Pelplin and a Neo-Gothic cathedral of Włocławek.

Churches erected in present times deserve equal attention – particularly modernist temples of Nowa Huta: Arka (the Ark) and the Mistrzejowice church. Regrettably, the majority of Polish contemporary temples share the quality of being rather ill-looking and it would seem impossible to number them among the masterpieces of Polish architecture. Poland's biggest present-day temple is the new basilica in Licheń.

Apart from grand churches of brick or stone Polish countryside also offers charming temples made of wood. At the foothills of the Tatra Mountains one can find several Gothic wooden churches, one of them – St. Michael Archangel's church in Dębno near Nowy Targ is particularly valuable for its gorgeous 15th century wall-painting and unique, regional-style internal design. Churches of Orawka (Orawa region) and Trybsz (Spisz region) share rich ornamentation and remarkable wall-painting design. In Zakopane, apart from the simple Old Church in Kościeliska street, one can also encounter a chapel in Jaszczurówka designed by Stanisław Witkiewicz in accordance with the principles of "zakopiański" style. An old church in Rabka has been transformed into a regional museum. In Karpacz, on the other hand, one can find the original, wooden Wang church stemming from the 13th century and transported to Karpacz from its former location in Norway.

Innumerable non-Catholic temples currently existing in Poland are evidence to constant presence of religious minorities in our country. They constitute a heritage of religious diversity shared by The Republic of the Two Nations and the II Republic of Poland. For ages Poland used to be the melting pot of various ethnic and religious groups, the land of tolerance and of diverse cultural and religious traditions developing on equal rights. In Kruszyniany and Bohoniki (near Białystok) one may still find old Tatar mosques. Eastern and southern outskirts of Poland are inhabited by the members of Eastern Orthodox congregation and Greek Catholics. Numerous Orthodox churches of the region include the most renowned Polish temple of this kind erected on the mountain of Grabarka. Synagogues can still be traced in both big cities and provincial towns, the Cracow's Jewish quarter of Kazimierz has 7 of them, including the Old Synagogue that contains a museum of Jewish culture. In Silesia, Wielkopolska, Warmia and Mazury Protestant churches are relatively frequent. In Mazury one can also encounter a "molenna" – the Old Rite temple.

A church, a synagogue or an Orthodox temple have always been in the centre of local existence – in the centre of the city, village or town. It is around them that all activity took place. It still does, although many of the religious sites are a mere reminiscence of their past glory and cultural meaning.

Gotteshäuser bestimmten und symbolisierten in jeder Kultur den Mittelpunkt der Welt. Sowohl für die Land- als auch Stadtbevölkerung war die Kirche der Orientierungspunkt im räumlichen, urbanistischen und im symbolisch-geistigen Sinne. An der *axis mundi*, der Achse der Welt, wo Himmel und Erde zusammentreffen, bauten sie ihre Heiligtümer und daher die dominierende Rolle der Kirche sowohl in der Landschaft als auch im kulturellen Erbe des Landes.

Bei der Beschreibung der zahllosen polnischen Kirchen muss man unbedingt mit der wichtigsten, der Wawelkathedrale in Krakau, beginnen. Ihre Vergangenheit ist untrennbar mit dem Schloss und der Geschichte des Landes verbunden. An ihrem Platz standen ursprünglich zwei romanische Kirchen, auf deren Überresten im 14. Jh. die heutige Kathedrale entstand. Im Laufe der Zeit wurde sie mit Kapellen umgeben, von denen die Sigismundkapelle, ein Meisterwerk der Renaissance, die berühmteste ist. In diesem Gotteshaus ruhen die polnischen Könige, namhafte Politiker und große Dichter.

Das zweite wichtige Heiligtum der Stadt ist die Marienkirche am Hauptmarkt. An der Wende des 13. zum 14. Jh. erbaut, bildet sie das Herzstück des alten Krakau. Ihr größter Schatz ist der berühmte gotische Hochaltar von Veit Stoß. Von einem ihrer Kirchtürme ertönt seit über 600 Jahren allstündlich das Turmlied. Das Panorama Krakaus ist reich an Kirchtürmen und entzückt durch die Vielfalt der Baustile, angefangen von romanischen Elementen in der Ägidius- und in der Adalbertkirche über die Basiliken der Dominikaner und Franziskaner im gotischen Stil, bis hin zu den barocken Kirchen der hl. Anna sowie St. Peter und Paul.

Außerordendliche Bedeutung hat für die Polen das Klosterensemble Jasna Góra (Heller Berg) in Częstochowa. Die Basilika mit der Kapelle der Gottesmutter von Tschenstochau sowie das Paulinerkloster gehören zu den meistbesuchten Orten und Wallfahrtsstätten Polens. Eben hier befindet sich das berühmte Gnadenbildnis der Schwarzen Madonna. Als sich Jasna Góra als einziger Ort im I. Nordischen Krieg (1655-1660) erfolgreich gegen die Schweden verteidigte, festigte sich seine Bedeutung als geistige Hauptstadt Polens.

Der Gnesener Dom auf dem Lech-Hügel ist die Wiege des polnischen Katholizismus. Dort ruhen die Gebeine des hl. Adalbert, des Märtyrers und Schutzheiligen Polens, und dort wurde der erste König des Landes, Boleslaw I. Chrobry (der Tapfere), gekrönt. Die romanische Bronzetür des Gotteshauses gehört zu den kostbarsten Werken des frühen Mittelalters in Polen. In der Kathedrale auf der Posener Dominsel befand sich das erste Bistum auf polnischem Boden. Im dortigen Mausoleum ruhen die ersten Herrscher des Landes, Mieszko I. und Boleslaw I. Chrobry. In Strzelno bei Gnesen sind die romanische Kirche des hl. Prokop und die romanischen Säulen in der barocken Kirche der Hl. Dreifaltigkeit erhalten geblieben. Sie datieren aus dem 12. Jh. und gehören damit zu den ältesten Sakralbauten Polens.

Die Marienkirche in Danzig zeugt von der Macht der ehemaligen Hansestadt und ist der Stolz ihrer Bürger. Besonderes Augenmerk gebührt dem gotischen Hochaltar, der Annenkapelle mit der Schönen Madonna und der Kopie von Hans Memlings Triptychon *Das Jüngste Gericht*. Sehenswert sind in Pommern ferner die Kathedralen in Kołobrzeg/Kolberg, Kwidzyn/Marienwerder, Frombork/Frauenburg und Pelplin sowie die neugotische Kathedrale in Włocławek.

Aufmerksamkeit verdienen ebenfalls die zeitgenössischen Sakralbauten, wie die modernistische Arche in Nowa Huta und die Kirche in Mistrzejowice. Die größte zeitgenössische Kirche Polens ist die Basilika in Licheń. Aber nicht von allen neu gebauten Gotteshäusern lässt sich behaupten, sie wären schön und wahre Perlen der polnischen Architektur.

Außer den imposanten Kirchen aus Ziegeln und Feldsteinen, gibt es in Polen reizvolle Dorfkirchen aus Holz. Im Tatra-Vorland sind mehrere gotische Holzkirchen erhalten geblieben. Die wertvollste davon ist die Kirche des Erzengels Michael in Dębno bei Nowy Targ mit interessanter regionaler Ausstattung und kostbaren Wandmalereien aus dem 15. Jh. In den Gotteshäusern in Orawka (Region Orava) und in Trybsz (Region Zips) haben sich ebenfalls wunderbare Polychromien erhalten. Neben der bescheidenen ländlichen Alten Kirche in der Kościeliska-Straße in Zakopane findet man im Stadtteil Jaszczurówka eine reizvolle von Stanisław Witkiewicz im Zakopane-Stil entworfene Kapelle. Die ehrwürdige alte Kirche in Rabka beherbergt das Heimatmuseum. Ganz besonders hervorzuheben ist ebenfalls die originelle Stabkirche Wang aus dem 13. Jh. in Karpacz, die aus Norwegen hierher gebracht wurde.

Die zahlreichen Kirchen anderer Konfessionen zeugen von den religiösen Minderheiten in Polen und sind das historische Erbe der multinationalen polnisch-litauischen Personalunion (14.-18. Jh.) und der Zweiten Polnischen Republik (Zwischenkriegszeit). Über Jahrhunderte hinweg war Polen ein ethnischer und religiöser Schmelztiegel der Nationen, ein Land der kulturellen Toleranz und Glaubensfreiheit. In Kruszyniany und Bohoniki in der Region Białystok befinden sich uralte Moscheen der Tataren. Ost- und Südpolen ist zahlreich von russisch-orthodoxen und griechisch-katholischen Gläubigen bewohnt. Dort gibt es viele russische Kirchen. Die berühmteste befindet sich auf dem heiligen Berg Grabarka. In vielen Groß- und Kleinstädten findet man ebenfalls noch Synagogen. Im Krakauer Stadtviertel Kazimierz befinden sich sieben Bethäuser, darunter die Alte Synagoge, die das Museum der jüdischen Kultur beherbergt. In Schlesien, Großpolen sowie Ermland und Masuren sind viele evangelische Gotteshäuser erhalten. Darüber hinaus gibt es in Masuren sogar noch einige Gotteshäuser der Raskolniki (Altgläubigen).

Kirchen, Synagogen und orthodoxe Gotteshäuser waren von je her das Zentrum der lokalen Welt, ganz egal ob Dorf, Klein- oder Großstadt. In ihnen und auf ihrem Gelände spielte sich das örtliche Leben ab. Und so ist es auch heute, obwohl viele dieser Heiligtümer nur noch ihre ehemalige Pracht und ursprüngliche kulturelle Bedeutung ahnen lassen.

Kraków. Wawel, renesansowa, kryta złotą blachą kaplica Zygmuntowska i wzorowana na niej – barokowa kaplica Wazów.
Cracow. The Wawel Castle, the Renaissance Sigismund Chapel roofed with gilded metal plates and the Baroque Vasa Dynasty Chapel modelled upon the Sigismund Chapel.
Krakau. Wawelschloss. Die mit Blattgold bedeckte Sigismundkapelle im Renaissancestil und die nach ihrem Vorbild entstandene barocke Wasa-Kapelle

Kraków. Wnętrze kościoła Mariackiego z otwartym pentaptykiem ołtarzowym dłuta norymberskiego rzeźbiarza Wita Stwosza. →
Cracow. The interior of St. Mary's Church with an open altar pentaptych carved by Veit Stoss, the sculptor from Nurnberg.
Krakau. Innenraum der Marienkirche mit dem geöffneten Flügelaltar des Nürnberger Schnitzers Veit Stoß

Rabka. Barokowe organy w kościele św. Marii Magdaleny.
Rabka. Baroque organ in the church of St. Mary Magdalene.
Rabka. Barokorgel in der Kirche der hl. Maria-Magdalena

Graboszyce koło Wadowic. Jednonawowy drewniany kościół z końca 16. wieku. →
Graboszyce near Wadowice. Single-nave wooden church from the late 16th century.
Graboszyce bei Wadowice. Einschiffige Holzkirche aus dem Ende des 16. Jh.

Psalmo 46
psallite psallite
Regi nostro psallite
Quoniam Rex
Omnis terrae
Deus psallite
B. SADOCH ORD. PRAD. A S.
MISSVS EGREGIE LABORAVIT MARTYRIO

Zakopane. Kaplica na Jaszczurówce zaprojektowana w stylu zakopiańskim przez Stanisława Witkiewicza.
Zakopane. The chapel on Jaszczurówka designed by Stanisław Witkiewicz in "Zakopiański" style.
Zakopane. Von Stanisław Witkiewicz im Zakopane-Stil entworfene Kapelle im Stadtteil Jaszczurówka.

← Orawka. Kościół św. Jana Chrzciciela z dekoracją malarską z 17. i 18. wieku.
Orawka. St. John the Baptist Church with painted ornaments stemming from the 17th an the 18th century.
Orawka. Kirche des hl. Johannes des Täufers mit Malereien aus dem 17. und 18. Jh.

Żywiec. Kościół św. Krzyża z końca 14. wieku, przebudowany w 17. wieku.
Żywiec. The 14th century Church of the Holy Cross, rebuilt in the 17th century.
Żywiec. Heiligkreuzkirche aus dem 14. Jh., im 17. Jh. umgebaut

Święty Krzyż. Opactwo benedyktyńskie na Łysej Górze, ufundowane w 12. wieku przez króla Bolesława Krzywoustego. →
Święty Krzyż. Benedictine abbey on Łysa Góra, founded in the 12th century by king Boleslaus the Wry-mouthed.
Święty Krzyż. Die Benediktinerabtei auf dem Berg Łysa Góra wurde im 12. Jh. von König Boleslaw III. Krzywousty (Schiefmund) gestiftet.

Lublin. Gotycka kaplica Świętej Trójcy ozdobiona bizantyjsko-ruskimi freskami ufundowanymi przez króla Władysława Jagiełłę.
Lublin. Gothic chapel of the Holy Trinity adorned with Byzantine and Ruthenian frescos founded by king Władysław Jagiełło.
Lublin. Gotische Dreifaltigkeitskapelle mit byzantinisch-ruthenischen Fresken, die von König Wladislaw Jagiełło gestiftet wurden.

Częstochowa. Klasztor oo. Paulinów z Bazyliką Jasnogórską Wniebowzięcia NMP, cel pielgrzymek i miejsce kultu Matki Boskiej Częstochowskiej. →
Częstochowa. The Paulites' Monastery on Jasna Góra with the Basilica of the Assumption of the Blessed Virgin Mary
– the object of pilgrimages and the place of worship of the Mother of God of Częstochowa.
Częstochowa. Paulinerkloster mit der Basilika Mariä Himmelfahrt. Wallfahrtsort mit dem berühmten Gnadenbildnis der Schwarzen Madonna von Tschenstochau

Krzeszów. Polichromia na stropie kościoła Wniebowzięcia NMP zwanego „perłą śląskiego baroku".
Krzeszów. The polychromy on the ceiling of the Church of the Assumption of the Blessed Virgin Mary. The temple is known as the "jewel of Silesian Baroque".
Krzeszów. Polychromie an der Decke der Kirche Mariä Himmelfahrt, die auch „Perle des schlesischen Barocks" genannt wird.

Karpacz. Świątynia Wang – 13-wieczny kościół przeniesiony na obecne miejsce w 19. wieku z Norwegii. →
Karpacz. The Wang temple – 13th century church has been transported to its current location from Norway in the 19th century.
Karpacz. Die Stabkirche Wang aus dem 13. Jh. wurde im 19. aus Norwegen hierher gebracht.

Świdnica. Ewangelicko-augsburski, drewniany, o kilkupiętrowych emporach Kościół Pokoju wybudowany w latach 1656-58. →→
Świdnica. Wooden Evangelic Church of Peace with its several-storey high galleries. It was raised in the years 1656-58.
Świdnica. Evangelisch-augsburgische Friedenskirche aus den Jahren 1656-58 mit mehrstöckigen Emporen

Ihr den Willen Gottes thut, und
die Verheissung empfahet.

Wrocław. Ostrów Tumski, gotycka katedra św. Jana Chrzciciela.
Wrocław. Ostrów Tumski, Gothic cathedral of St. John the Baptist.
Wrocław/Breslau. Dominsel mit gotischem Dom des hl. Johannes des Täufers

Trzebnica. Kościół św.św. Bartłomieja i Jadwigi. Sarkofag św. Jadwigi Śląskiej wykonany w latach 1679-80. →
Trzebnica. The Church of St. Bartholomew and St. Jadwiga. The sarcophagus of St. Jadwiga of Silesia was completed in the years 1679-80.
Trzebnica. Kirche St. Bartholomäus und Hedwig. Sarkophag der hl. Hedwig von Schlesien aus den Jahren 1679-80

Frombork. Stalle w największym gotyckim halowym kościele na Warmii.
Frombork. Stalls of the biggest Gothic church in Warmia region.
Frombork. Chorgestühl der größten gotischen Hallenkirche im Ermland

← Stargard Szczeciński. Gotyckie wnętrze kościoła Mariackiego z końca 13. wieku dekorowane glazurowanymi wielokolorowymi cegłami.
Stargard Szczeciński. Gothic interior of the 13th century St. Mary's Church, ornamented with glazed multicoloured bricks.
Stargard Szczeciński. Den gotischen Innenraum der Marienkirche aus dem Ende des 13. Jh. zieren farbige glasierte Ziegel.

Gdańsk. Nawa główna gotyckiego Kościoła Mariackiego, w pierwszym planie – baptysterium z połowy 16. wieku. →→
Gdańsk. Main nave of the Gothic St. Mary's Church. In the foreground – the mid-16th century baptismal font.
Danzig. Hauptschiff der gotischen Marienkirche; im Vordergrund der Taufstein von Mitte des 16. Jh.

Tum pod Łęczycą. Wzniesiona z kamienia 12-wieczna romańska kolegiata pw. Wniebowzięcia NMP i św. Aleksego.
Tum by Łęczyca. 12th century stone Romanesque Collegiate Church of the Assumption of the Blessed Virgin Mary and St. Alex.
Tum bei Łęczyca. Im 12. Jh. aus Stein erbaute romanische Stiftkirche Mariä Himmelfahrt und des hl. Alexius

Warszawa. Rzeźba Chrystusa dźwigającego krzyż przed dwuwieżową fasadą barokowego kościoła pw. Znalezienia Krzyża Świętego. →
Warsaw. The statue of Christ carrying his cross in front of the two-towered facade of the Baroque Church of the Finding of the Holy Cross.
Warschau. Christus mit dem Kreuz vor der Doppelturmfassade der barocken Kreuzkirche

SVRSVM CORDA

Gniezno. Odlane z brązu romańskie Drzwi Gnieźnieńskie z 12. wieku ze scenami z życia św. Wojciecha.
Gniezno. The 12th century Drzwi Gnieźnieńskie (Doorway of Gniezno) – cast in bronze – depict the scenes from the life of St. Adalbert.
Gniezno/Gnesen. Berühmte romanische Bronzetür (12. Jh.) der Gnesener Kathedrale mit Szenen aus dem Leben des hl. Adalbert

← Stary Licheń. Współczesna bazylika NMP, największa świątynia w Polsce, ze 128-metrową wieżą.
Stary Licheń. Contemporary Basilica of the Blessed Virgin Mary, the largest temple in Poland, with the tower of 128 metres in height.
Stary Licheń. Die neu erbaute Marien-Basilika ist das größte Gotteshaus in Polen und besitzt einen 128 m hohen Kirchturm.

Rokitno. Obraz Matki Boskiej Rokitniańskiej w prezbiterium kościoła Matki Boskiej Królowej Polski.
Rokitno. The likeness of the Holy Mother of Rokitno in the presbytery of the Church of the Mother of God Queen of Poland.
Rokitno. Das Gnadenbild der Muttergottes von Rokitno im Chorraum der Marienkirche

Poznań. Monumentalne wnętrze kościoła farnego pw. św. Stanisława biskupa z barokową dekoracją rzeźbiarską, sztukatorską i malarską. →
Poznań. Immense interior of the parish-church of St. Stanislaus the Bishop, with its Baroque sculptured and painted ornaments, as well as stucco work.
Poznań/Posen. Monumentaler Innenraum der Pfarrkirche des hl. Bischofs Stanislaus mit barocker Stuckatur und Malerei

V

Kultura ludowa

Folk culture

Volkskultur

Tym co odróżnia Polskę od większości krajów Zachodu jest żywa kultura ludowa. Składają się na nią codzienne i świąteczne obrzędy i obyczaje, wierzenia i religijność, ludowa sztuka i rzemiosło, muzyka, taniec i literatura. Jednym z zasadniczych fundamentów kultury ludowej jest obrzędowość związana z przeżywaniem dwóch cykli świętowania – dorocznego i rodzinnego.

W rozpoczynającym kalendarz liturgiczny adwencie pozostałością dawnej obrzędowości są zabawy i wróżby organizowane w dzień św. Andrzeja (30 listopada) oraz zwyczaj obdarowywania się prezentami w dzień św. Mikołaja (6 grudnia). Jednak wśród świąt dorocznych najsilniej nacechowane są obrzędy Bożego Narodzenia z licznymi elementami występującymi powszechnie, takimi jak wieczerza wigilijna, choinka, pasterka, prezenty, śpiewanie kolęd. W niektórych regionach kultywuje się wciąż budowanie szopek bożonarodzeniowych czy występy grup kolędniczych. Następujący później karnawał stracił w dużej mierze swoje znaczenie czasu przejścia pomiędzy radosnym Bożym Narodzeniem a wyciszonym okresem Wielkiego Postu.

Przypadająca na wiosnę Wielkanoc jest okresem obfitym w symboliczne obrzędy. W niektórych miejscowościach z okazji niedzieli palmowej budowane są okazałe palmy, często kilkumetrowej wysokości. W kościołach powstają groby wielkanocne, którym często towarzyszą straże. Tryduum Paschalne to czas obrzędowych inscenizacji Męki Pańskiej, najbardziej znane mają miejsce w Kalwarii Zebrzydowskiej. Trudno wyobrazić sobie Wielkanoc bez święcenia pokarmów w Wielką Sobotę, bez Rezurekcji czy pisanek i śmigusa-dyngusa.

Maj to okres nabożeństw majowych urządzanych często przy przydrożnych kapliczkach. Uroczyście obchodzone jest w Polsce Boże Ciało z nieodłącznymi procesjami, przypadające w osiem tygodni po Wielkiej Nocy. Za to noc świętojańska, zwiastująca nadejście lata, niesie z sobą wiele symboli przedchrześcijańskich związanych z kultem ognia i przemiany czasu. W Polsce dzień Wszystkich Świętych (1 listopada) to odwiedziny grobów bliskich, ich dekorowanie i zapalanie świateł. Zwyczaje te mają na tle innych krajów europejskich charakter unikatowy.

Także święta rodzinne – chrzciny, pierwsza komunia, ślub – to także dni szczególnego obyczaju i rytuału. Szczególnie wesele, jego scenariusz i obrzędowość, zawiera w sobie znaczną liczbę dawnych zwyczajów i symboli, stanowiąc święto najbardziej charakterystyczne dla lokalnej kultury, pełne słowa, muzyki i tańca.

Najbardziej widocznym elementem materialnej kultury ludowej jest budownictwo. Wiele budynków mieszkalnych i gospodarczych pozostaje świadectwem dawnych tradycji budowlanych w danym regionie. Wspomnieć należy także o ludowych kościołach i kaplicach, często niezwykłej urody, a także licznych przydrożnych kapliczkach i krzyżach.

Sztuka ludowa miała początkowo przede wszystkim charakter czysto użytkowy, rzeźby, wycinanki, malowidła zdobiły wiejskie kościółki i chałupy. Z czasem stała się autonomicznym zjawiskiem polskiego folkloru, a ludowe rzeźby czy podhalańskie obrazy malowane na szkle znalazły miejsce na wielu wystawach i ekspozycjach muzealnych.

Odpusty i jarmarki zachowały do dziś charakter szczególnego wydarzenia jednoczącego społeczność wiejską. Nowym zjawiskiem są festiwale i przeglądy folklorystyczne podczas których regionalne zespoły prezentują swoje tradycje, obrzędy, taniec i śpiew. Do sfery kultury duchowej należy zwyczaj masowego uczestnictwa w pielgrzymkach, szczególnie sierpniowych, na Jasną Górę.

Na skutek przemian historycznych, urbanizacji kraju i masowych migracji kultura ludowa zanika i radykalnie zmienia swój charakter. Są jednak regiony w których jest żywa i nadal się rozwija – w szczególności Podhale i Kurpie, a także Śląsk czy okolice Łowicza i Rzeszowa. W wielu regionach kraju odżywają miejscowe tradycje i rekonstruuje się dawną, ludową tradycję, często na potrzeby sceny.

Na Podhalu wciąż zobaczyć można góralski ubiór, taniec, posłuchać góralskiej muzyki i śpiewu. Działają zespoły regionalne, grają góralskie muzyki, młodzież z ochotą przyswaja sobie tradycje ojców. Malarstwo na szkle, rzeźba, snycerka, lutnictwo na Podhalu znalazły swoje najlepsze realizacje. Sława wielu twórców sięga daleko poza granice Polski. Na Podhalu można wciąż spotkać góralski orszak weselny z prowadzącymi go konno pytacami. W niedziele i święta wiele osób zakłada góralskie ubranie. Regionalne restauracje serwują góralskie potrawy, a gościom przygrywa na żywo góralska muzyka. Kontynuowane są pasterskie tradycje regionu. Na podhalańskich polanach i tatrzańskich halach kultywuje się kulturowy wypas owiec, a echo pasterskich dzwonków unosi się wśród górskich polan i lasów. Żywa kultura ludowa jest jedną z głównych atrakcji przyciągających na Podhale i do Zakopanego licznych gości.

Polska jest jednym z ostatnich krajów europejskich z zachowaną żywą, swoistą kulturą ludową. Będąca przedmiotem dumy ludowa tradycja jest w wielu regionach przekazywana z pokolenia na pokolenie. Zamki i pałace są reminiscencją kultury magnackiej i szlacheckiej, miasta świadectwem kultury mieszczańskiej, zaś folklor żywą kontynuacją tradycji plebejskiej i małomiasteczkowej, niezbywalnej cząstki kultury narodowej.

← Zespół „Mazowsze" podczas występu w łowickich strojach ludowych.
"Mazowsze" Folk Song and Dance Ensemble performing in traditional costumes from the Łowicz region.
Das Gesangs- und Tanzensemble „Mazowsze" in der Volkstracht von Łowicz

Flourishing folk culture is what distinguishes Poland from the majority of Western states. Folklore is a compilation of traditions and customs of both everyday and festive character; a collection of beliefs and religious practices; folk art and craft; music, dance and literature. A framework to folk culture is provided by rites connected with celebrations organised in accordance with two cycles – yearly passage of seasons and family rhythm.

In the Advent period, initiating the liturgical year, remnants of old ceremonial are present in games and fortune telling on St. Andrew's Day (November 30th) and in the custom of exchanging gifts on St. Nicholas Day (December 6th). However, the most emblematic holiday of all is the celebration of Christmas, joining popular elements of Christmas Eve family supper, decorating the Christmas tree, participation in midnight mass, exchanging presents and singing carols. It is typical of some regions that Christmas nativity scenes are arranged or carol singers perform in public. The subsequent period of carnival has lost much of its meaning as a transition time between the joyous Christmas and the subdued Lent.

Spring festivities of Easter are rich in symbolic rites. In certain regions the Palm Sunday is celebrated with a creation of imposing Easter Palms, some of them exceeding several metres in length. In churches the symbolic Tomb of Christ is usually arranged and often provided with a guard. The three days of Easter celebrations is a time when Mystery Plays recreating Christ's Via Dolorosa are performed, the most renowned of these is the one held in Kalwaria Zebrzydowska. Easter would never be the same without blessing foods on the Holy Saturday, the Resurrection mass, decorated Easter Eggs or "śmigus-dyngus" ritual.

May is a time of evening devotions to the Blessed Mary often held around roadside shrines. The Polish celebrations of Corpus Christi, eight weeks after Easter, share a truly festive character, processions being their inherent part. The night of St. John's, heralding the approaching summer, abounds in pre-Christian symbols associated with the cult of fire and the passage of time. All Saints Day (November 1st) is when Poles traditionally visit the last resting-place of their ancestors, they decorate graves and light symbolic candles. There are no counterparts to these customs anywhere in Europe.

Family holidays – baptism celebrations, the First Communion, weddings – are also marked with specific rites and customs. Wedding in particular, its ritual and specified order, includes a multitude of ancient customs and symbols; for this reason it usually is the best representation of local culture, rich in word, music and dance.

The most conspicuous element of material folk culture is the style of architecture. Numerous residential and farm buildings are a testimony to past architectural traditions of the region. Folk churches and chapels, often of supreme value, should not be forgotten here, as well as roadside shrines and crosses.

Initially, folk art was of purely pragmatic character; sculptures, paper cut-outs and paintings were used as a decoration in countryside churches and cottages. Gradually, it advanced to become a fully autonomous phenomenon of Polish folklore and folk sculptures or Highlanders' glass-painting found their way to art exhibitions and museums.

Until present times church fairs have retained their quality of a festive event unifying the village community. Festivals of folk culture, an opportunity for local song and dance ensembles to present their regional customs, dances and songs, are a novelty. Massive participation in pilgrimages, especially the August ones to the Monastery of Jasna Góra, exemplifies the folk spiritual tradition.

Due to historical transformations, the processes of urban development and mass migrations folk culture is vanishing and its character is altered. In some regions, however, folk traditions remain alive and well – particularly in Podhale region, Kurpie, Silesia or the vicinity of Łowicz and Rzeszów. In many regions local customs are being revived and the folk traditions of the past are restored, often for theatrical purposes.

In Podhale one can still encounter Highlanders' costumes and dances, listen to Highlanders' music and song. Regional folk ensembles are operating actively, they play local music and teach the eager youth ancient traditions of their predecessors. Glass-painting, sculpting, wood-carving and violin making have reached their peaks in Podhale. Many artists are appreciated also abroad. The wedding procession led by "pytace" – a horsemen inviting to the wedding reception – is still common in Podhale. Sundays and festive occasions are frequently marked with people wearing regional Highland costume. Local restaurants offer Highland dishes and joyful Highland music to accompany the food. Shepherding heritage of the area is still alive – mountain pastures and glades are a seat to traditional sheep grazing and the sound of shepherds' bells echoes amid the mountain clearings and forests. Original folk culture at its best is a major attraction luring visitors to Zakopane and to Podhale.

Poland remains one of the last European countries to retain its original folk culture alive. Folklore, being the pride and joy of many communities, is passed from generation to generation. Castles and palaces are a reminiscence of the nobility culture, cities – a testimony to burghers' traditions, while folklore perpetuates small-town peasantry customs – indispensable particle of national culture.

Das was Polen von den übrigen Ländern Europas unterscheidet, ist die lebendige, liebevoll gepflegte Volkskultur. Dazu gehören die Alltags- und Festbräuche, die Sitten und weniger bekannten Riten, die Religiosität, Volkskunst und das Kunsthandwerk sowie Musik, Tanz und Literatur. Einer der Grundsteine der Volkskultur ist das mit zwei Festtagszyklen, dem kalendermäßigen und dem familiären, verbundene Brauchtum.

Im Advent, der den liturgischen Kalender einleitet, sind die Prophezeiungen und Spiele am Andreasabend (30. November) ein Relikt des uralten Brauchtums. Auch die kleinen Geschenke am Nikolaustag (6. Dezember) sind seit alters her Brauch. Von allen Feiertagen nimmt jedoch Weihnachten mit den allbekannten Bräuchen wie Heiligabendfestessen, Weihnachtsbaum, Mitternachtsmesse, Geschenke und Weihnachtslieder den Hauptplatz ein. In manchen Regionen werden immer noch Weihnachtskrippen gebaut und Sternsinger empfangen. Der nachfolgende Karneval hat an und für sich seine Bedeutung als Übergang vom frohen Weihnachtsfest zur besinnlichen Fastenzeit eingebüßt.

Das aufs Frühjahr entfallende Osterfest ist reich an Symbolik. In manchen Ortschaften werden am Palmsonntag prächtige Palmen gebaut, die nicht selten mehrere Meter messen. In den Kirchen entstehen Ostergräber, oft mit Wachtposten. Ostern ist ebenfalls die Zeit der Passionsspiele, die den Leidensweg Christi veranschaulichen. Das bekannteste findet in Kalwaria Zebrzydowska statt und zieht Scharen von Pilgern und Schaulustigen an. Zum Osterfest in Polen gehören auf jeden Fall auch die symbolische Weihung der Festtagsspeisen am Karsamstag, die Resurrektionsmesse, die bunten Ostereier und der „śmigus-dyngus" am Ostermontag, an dem sich die Kinder und Jugendlichen mit Wasser begießen.

Im Mai finden die Mai-Andachten statt, die auf dem Lande oft bei den Wegkapellen durchgeführt werden. Auch das acht Wochen nach Ostern entfallende Fronleichnam wird in Polen ganz besonders feierlich mit Prozessionen begangen. Die Johannesnacht, die den Sommer verkündet, hat heidnischen Ursprung und ist mit dem Feuerkult und der Sonnwende verknüpft. An Allerheiligen (1. November) besucht man in Polen die Gräber der Angehörigen, schmückt sie mit Blumen und zündet symbolische Kerzen an. Dieser Brauch ist sonst nirgendwo in Europa anzutreffen.

Ebenfalls die Familienfeste wie Taufe, Erstkommunion und Hochzeit sind mit besonderen Bräuchen verknüpft. Das betrifft vor allem die Hochzeiten, bei denen alte Riten und Symbole noch eine große Rolle spielen. Die polnische Hochzeit mit ihren ortstypischen Elementen wie Wort, Musik und Tanz spiegelt am allerdeutlichsten die Kultur der jeweiligen lokalen Bevölkerung wider.

Die materielle Volkskultur kommt im Bauwesen am sichtbarsten zur Geltung. In fast allen Regionen Polens zeugen auch heute noch viele Wohn- und Wirtschaftsgebäude von der alten Bautradion. Augenmerk verdienen ebenfalls die reizvollen kleinen Kirchen und Kapellen im Volksstil sowie die Bildstöcke und Wegkreuze.

Anfangs diente die Volkskunst ausschließlich dem alltäglichen Gebrauch. Schnitzereien, Scherenschnitte und Malereien schmückten sowohl die Dorfkirche als auch das eigene Heim. Mit der Zeit verwandelte sie sich in einen eigenständigen Zweig der polnischen Folklore, und gegenwärtig halten die volkstümlichen Skulpturen und Hinterglasmalereien aus der Region Podhale sogar Einzug in die Museen und Kunstgalerien.

Kirchweih und Jahrmarkt sind auch heute noch ein besonderes Ereignis, das die Dorfgemeinschaft verbindet. Dazu gesellen sich in letzter Zeit zahlreiche Folklorefestivals und andere Veranstaltungen dieser Art, bei denen die regionalen Volksensembles ihre Bräuche, Tänze und Gesänge präentieren. Zur geistigen Tradition gehört die Teilnahme an Wallfahrten, besonders im August nach Jasna Góra.

Historische Umwandlungen, die Urbanisierung des Landes sowie die Massenmigration haben dazu beigetragen, dass die Volkskultur langsam verkümmert bzw. ihr Antlitz verändert. Zum Glück gibt es aber noch Landstriche, wo die Folklore nicht nur lebendig ist, sondern sich unaufhörlich entwickelt. Dazu gehören die Regionen Podhale, Kurpie sowie Schlesien und die Umgebung von Łowicz und Rzeszów. In vielen Orten werden für den Bühnenbedarf die örtlichen Traditionen und die alte Volkskunst zu neuem Leben erweckt.

In Podhale kann man auch heute die echten Trachten der Bergbauern bewundern, ihrer Musik lauschen und sich von den Tänzen hinreißen lassen. Das ermöglichen unzählige Volksensembles und Goralenkapellen, an denen auch die Jugend mit Leidenschaft teilnimmt. Hinterglasmalerei, Bildhauer- und Schnitzkunst sowie der Geigenbau finden in Podhale ihre höchste Verwirklichung. Viele Künstler haben sich weit über die Landesgrenze hinaus einen Namen gemacht. In Podhale trifft man bestimmt auch auf einen Hochzeitszug, der von den „Bittenden" hoch zu Roß angeführt wird. An Sonn- und Feiertagen tragen viele Goralen ihre schönen Trachten. Die Restaurants im Regionalstil servieren echte Bergbauernkost, und zusätzlich gibt es für die Gäste Goralenmusik life. In der Region ist auch die Tradition der Schafzucht lebendig. Auf den Wiesen und Tatra-Almen weiden zwar zahlenmäßig begrenzte Schafherden, aber das Echo ihrer Glocken hallt auch jetzt noch in den Bergen wider. Die lebendige Volkskultur ist eine der Attraktionen, die alljährlich Scharen von Besuchern nach Podhale und Zakopane locken.

Polen gehört zu den wenigen Ländern Europas, das mit einer dermaßen lebendigen Volkskultur aufwartet. Dieses mit Stolz gepflegte Brauchtum wird in vielen Regionen von Generation zu Generation weitergegeben. Unsere Burgen und Schlösser sind wichtige Zeugen der Adelskultur, die Städte verkörpern die Kultur des Bürgertums, und in der Folkore lebt das ländliche und kleinstädtische Kulturerbe fort. All diese Traditionen sind untrennbare Bestandteile unserer polnischen Nationalkultur.

Dobra koło Limanowej. „Dziady śmigustne" w Poniedziałek Wielkanocny.
Dobra near Limanowa. "Dziady śmigustne" – one of traditional customs of the Easter Monday.
Dobra bei Limanowa. „Wassergeister", ein Volksbrauch am Ostermontag

← Kalwaria Zebrzydowska. Chrystus niosący krzyż – jedna ze scen Drogi Krzyżowej. Coroczne Misterium Męki Pańskiej gromadzi pielgrzymów już od 400 lat.
Kalwaria Zebrzydowska. Christ carrying his cross – one of the scenes of the Mystery Play. For 400 years pilgrims have annually gathered here to witness the recreation of Christ's Via Dolorosa.
Kalwaria Zebrzydowska. Christus mit dem Kreuz, eine der Kreuzwegszenen. Dieses alljährliche Passionsspiel zieht bereits seit 400 Jahren Pilgerscharen an.

Złaków Kościelny. Kolorowa procesja w łowickich strojach ludowych w święto Bożego Ciała.
Złaków Kościelny. Colourful Corpus Christi procession. These traditional costumes stem from the Łowicz region.
Złaków Kościelny. Bunte Fronleichnamsprozession in der Volkstracht von Łowicz

Zakopane. Zaprzęgi sań i górale w strojach ludowych. →
Zakopane. A group of sladges with Highlanders in traditional costumes.
Zakopane. Pferdeschlitten mit Goralen in Volkstracht

Zakopane. Zabytkowy dom Gąsieniców-Bednarzów przy ulicy Kościeliskiej.
Zakopane. The historic homestead of the Gąsienica-Bednarz family in Kościeliska street.
Zakopane. Historisches Haus der Familie Gąsienica-Bednarz in der Kościeliska-Straße

Zakopane. Drewniana, ozdobiona snycerką kapliczka z obrazkiem na szkle. →
Zakopane. Wooden shrine adorned with carved ornaments and a glass painting.
Zakopane. Hinterglasmalerei in einer mit Schnitzwerk verzierten Holzkapelle

Chochołów. Prywatne muzeum sztuki ludowej, założone przez rzeźbiarza Jana Zięda w jego własnym domu. →→
Chochołów. Private folk art museum established by a sculptor Jan Zięder in his own home.
Chochołów. Privates Volkskunstmuseum im Haus des Bildhauers Jan Zięder

Łopuszna na Podhalu. Malowana skrzynia w chałupie Klamerusów posłużyła jako tło dla ekspozycji dawnych ubiorów ludowych.
Łopuszna in Podhale. Painted chest in the cottage of the Klamerus family is a background for the exhibition of folk costumes of the past.
Łopuszna in der Region Podhale. Die bunt bemalte Truhe im Haus der Familie Klamerus dient der Ausstellung alter Volkstrachten als Dekoration.

← Skansen w Zubrzycy Górnej na Orawie. Dwór Moniaków, dawna siedziba rodziny sołtysów.
Ethnographic museum in Zubrzyca Górna (Orawa region). The mansion house of the Moniak family – former seat of the clan of "sołtys" (village administrators).
Freilichtmuseum in Zubrzyca Górna in Orava. Der Hof der Familie Moniak gehörte einst dem Dorfschulzen.

Park etnograficzny w Wygiełzowie. Przykład małopolskiego budownictwa drewnianego. →→
Ethnographic park in Wygiełzów. Instance of wooden architecture typical of Małopolska.
Der ethnographische Park in Wygiełzów veranschaulicht die kleinpolnische Holzbauweise.

Tokarnia koło Kielc. Oryginalne wyposażenie kuchni w jednym z domostw w skansenie – Muzeum Wsi Kieleckiej.
Tokarnia near Kielce. Original kitchen fittings in the interior of the homestead in the ethnographic museum – the Museum of the Countryside of Kielecki Region.
Tokarnia bei Kielce. Originale Küchenausstattung in einem der Häuser des Freilichtmuseums der Region Kielce

Sieradzkie. Można tu jeszcze spotkać takie kryte strzechą, zamieszkałe domostwa. →
Sieradzkie region. In the area one may encounter such thatched cottages still inhabited.
Region Sieradz. Hier findet man noch bewohnte Häuser mit Strohdächern.

Russów. Ekspozycja etnograficzna na terenie parku dworskiego – wnętrze chałupy chłopskiej.
Russów. Ethnographic exhibition in the manor house park – the interior of a peasant's cottage.
Russów. Ethnographische Ausstellung im Herrenhaus-Park. Innenraum einer Bauernhütte

Dziekanowice. 19-wieczne wiatraki z okolic Gniezna, wieżowy holender i paltrak, w Wielkopolskim Parku Etnograficznym. →
Dziekanowice. 19th century windmills from the vicinity of Gniezno, Dutch tower and paltrock mills, in the Ethnographic Museum of Wielkopolska.
Dziekanowice. Windmühlen (19. Jh.) aus der Umgebung von Gnesen; holländische Windmühle und Bockwindmühle auf Schiene im Großpolnischen Ethnographischen Park

BANK

Kraków. Lajkonik na Rynku Głównym. Przybywa tu co roku w oktawę Bożego Ciała z klasztoru Norbertanek na Zwierzyńcu.
Cracow. Lajkonik on the Cracow's Main Market Square appears annually within the octave of Corpus Christi. He arrives from the convent of Norbertine nuns in Zwierzyniec.
Krakau. „Lajkonik" auf dem Hauptmarkt. Diese historische Sagengestalt kommt jedes Jahr nach Fronleichnam vom Kloster der Norbertanerinnen in Zwierzyniec hierher.

← Zakopane. Taneczne popisy zespołów na Krupówkach podczas otwarcia corocznego Międzynarodowego Festiwalu Folkloru Ziem Górskich.
Zakopane. Annual dancing performance of folk ensembles in Krupówki St. during the opening ceremony of the International Festival of Highland Folk Culture.
Zakopane. Tanzvorführungen der Volksensembles in der Krupówki-Straße anlässlich der Eröffnungsfeier des alljährlichen Internationalen Festivals der Bergland-Folklore

Wielkopolski „dudziarz". Dudy – to charakterystyczny instrument ludowy dla tego regionu.
"Dudziarz" of Wielkopolska (the musician playing bagpipes). Bagpipes are a traditional folk musical instrument of the region.
Großpolnischer Sackpfeifer. Der Dudelsack ist ein für diese Region typisches Musikinstrument.

Łyse, ośrodek kurpiowskiej sztuki ludowej. Występy zespołu regionalnego. →
Łyse is a centre for the folk art and culture of the Kurpie region. Regional folk ensembles perform here.
Łyse., Herzstück der kurpischen Volkskunst. Auftritt eines Volksensembles.

CHRISTIAN PARMA
zdjęcia/photography/Fotos

MACIEJ KRUPA
tekst/text/Text

BOGNA PARMA
teksty podpisów/captions of photographs/Bildunterschriften

ANETA CZARNECKA
opracowacowanie graficzne/layout/Graphik

ANNA CZAJKOWSKA (CLEAR EYES TRANSLATORS)
tłumaczenie angielskie/English translation/englische Übersetzung

JAN SCHARMACH
tłumaczenie niemieckie/German translation/deutsche Übersetzung

WYDAWNICTWO PARMA PRESS Sp. z o.o.
DTP

Wydawnictwo PARMA PRESS Sp. z o.o.
05 270 Marki, al. Piłsudskiego 189 b
+48 22/ 781 16 48, 781 16 49, 781 12 31
e-mail: wydawnictwo@parmapress.com.pl
http://www.parmapress.com.pl
wydawca/publisher/Herausgeber

ISBN 83-7419-032-9

zdjęcie na okładce: Koszuty koło Środy Wielkopolskiej. Dworek szlachecki z końca 18. wieku, obecnie Muzeum Ziemi Średzkiej.
cover photo: Koszuty near Środa Wielkopolska. Late 18th century manor-house – currently a seat to the Museum of Środa Region.
Umschlagfoto: Koszuty bei Środa Wielkopolska. Adelshof aus dem Ende des 18. Jh., heute Heimatmuseum